UnRead
－
生活家

SLEEP

SLEEP

# 睡眠革命

革命

如何
让你的睡眠
更高效

SLEEP

SLEEP

北京联合出版公司
Beijing United Publishing Co.,Ltd.

[英] 尼克·利特尔黑尔斯————————著    王敏————————译

睡眠革命:如何让你的睡眠更高效
[英] 尼克·利特尔黑尔斯 著
王敏 译

**图书在版编目 (CIP) 数据**

睡眠革命:如何让你的睡眠更高效 / (英) 尼克·利特尔黑
尔斯著;王敏译. — 北京:北京联合出版公司,2017.6
(2018.5 重印)
ISBN 978-7-5502-9965-8

Ⅰ. ①睡… Ⅱ. ①尼… ②王… Ⅲ. ①睡眠−基本知
识 Ⅳ. ① R338.63

中国版本图书馆 CIP 数据核字 (2017) 第 043428 号

SLEEP: Redefine Your Rest, for Success
in Work, Sport and Life

by Nick Littlehales

Copyright©2016 by Nick Littlehales
First published 2016, in Great Britain in the
English Language by Penguin Books Ltd.
Simplified Chinese edition©2017 by United
Sky (Beijing)New Media Co.,Ltd.
All rights reserved.
Copies of this translated edition sold
without a Penguin sticker on the cover are
unauthorized and illegal.
封底凡无企鹅防伪标识者均属未经授权之非法版本。

北京市版权局著作权合同登记号 图字:01-2017-1751 号

| 策　　划 | 联合天际 |
| 特约编辑 | 王　絮 |
| 责任编辑 | 喻　静　刘　凯 |
| 美术编辑 | 小圆子 |
| 封面设计 | @broussaille 私制 |

UnRead
—
生活家

| 出　　版 | 北京联合出版公司 |
| | 北京市西城区德外大街 83 号楼 9 层　100088 |
| 发　　行 | 北京联合天畅发行公司 |
| 印　　刷 | 三河市冀华印务有限公司 |
| 经　　销 | 新华书店 |
| 字　　数 | 136 千字 |
| 开　　本 | 880 毫米 × 1230 毫米 1/32　7.5 印张 |
| 版　　次 | 2017 年 6 月第 1 版　2018 年 5 月第 7 次印刷 |
| I S B N | 978-7-5502-9965-8 |
| 定　　价 | 49.80 元 |

关注未读好书

未读 CLUB
会员服务平台

本书若有质量问题,请与本公司图书销售中心联系调换
电话: (010) 5243 5752　(010) 6424 3832

未经许可,不得以任何方式
复制或抄袭本书部分或全部内容
版权所有,侵权必究

# 目录

# 引言 不要浪费宝贵的时间睡觉

我走进一家本地的书店，问柜台后的营业员，关于睡眠的书在哪儿？她向我投来疑惑的一瞥，转过脑袋对着电脑搜索一番后，给我指了个大致的方向，她希望这个方向是正确的。在爬上四层楼梯后，我终于在一个布满尘埃的黑乎乎的角落中找到了它们：几部关于睡眠科学的学术著作和几本关于梦境和解梦的书籍。什么时代了，还是老一套。

我只希望，你不会在这样的角落里看到这本书。

一场睡眠革命正在兴起。长久以来，睡眠一直被我们当成是生活中一个理所当然的组成部分，并且历史规律显示，我们对睡眠越来越不重视了（这体现在，我们用于睡眠的时间越来越少了）。然而，若干新兴的科学研究开始关注不良睡眠习惯和一系列健康、心理问题之间的关联，这些健康和心理问题包括 2 型糖尿病、心脏病以及由焦虑和疲乏引起的肥胖症。我们该重视睡眠问题并且该好好关注这一关键的身心修复过程了，试着弄明白怎样才能获得更好的睡眠，从而最好地利用我们的有生之年、更高效地工作、更融洽地和亲友相处，并拥有更佳的自我感觉。

直到 20 世纪 90 年代中期，我们仍然拥有充足的休息时间。大多数人将连续两天的休息日（也就是周末）视为理所当然的事。当我们离开办公室或者别的工作场所时，工作就结束了，商店通常也不会在周日营业。但是没过多久，我们的生活方式就发生了剧烈的变化。互联网和电子邮件永远改变了我们沟通、消费和工作的方式，最初只有通话功能的手机，很快变成了一簇簇蓝光的汇聚体，而我们则一天到晚地盯着这些蓝光。一刻不停地保持联系的想法，已经成为一种现实，24×7 的全天候工作心态也应运而生。我们必须做出调整，才能跟上这个时代。用咖啡因过度刺激神经，然后吞下安眠药才能睡着，我们就这样一根蜡烛两头烧，过度消耗着自己的精力——传统的每晚 8 小时睡眠，几乎已经成为一种过往的传说。

这种生活方式的后果是：人际关系和家庭生活面临重重压力和重负，一再亮起红灯。不止如此，一些科学家和研究人员认为，缺乏身心修复的时间，导致人体罹患多种病症的可能性会大幅攀升。因此，我们必须找到应对之法。

我是一个运动睡眠教练。在你所在地区的就业服务中心，不太可能会有这样一个职位。因为这个头衔，大体上是我自己发明的。

这还得从 20 世纪 90 年代末我担任斯林百兰的营销总监时说起。斯林百兰是欧洲最大的舒眠集团。当时，我对一个问题产生了兴趣：英国的那些顶级足球俱乐部，会采取哪些措施帮助球员睡个好觉、获得身心的修复？我猜想，他们一定有一套自己的办法。于是，我写信给曼彻斯特联队，想要一探究竟。结果却是，他们根本没有采取任何措施。亚历克斯·弗格森——他很快就会带领他的三冠王球队创造历史——在回信中问我，是否有兴趣来他们那儿看看。

那时，人们并不把睡眠当成影响比赛表现的一个因素，但是我很幸运，运动科学越来越受到重视，而这已然挑起了一位出类拔萃的足球经理的好奇心。同样很幸运的是，我有机会和一位有背伤的球员合作，并对他的日常作息和生活用品做出一些调整。当然，无论那些床垫生产商家如何吹嘘，仅凭一张床垫，绝对无法治愈顽固的背伤。但是，我成功地对这位球员做出了积极的引导，让他能够更好地掌控自己的健康。

随后，我和曼联俱乐部有了更密切的联系，甚至还给弗格森自己以及著名的 92 黄金一代——瑞恩·吉格斯、大卫·贝克汉姆、保罗·斯科尔斯、尼基·巴特和内维尔兄弟，介绍了一些产品、提出了一些建议。这一自上而下的模式——从足球经理、教练到球员都在采用我所推荐的方法和产品，我一直沿用至今。

3

这时，我辞去了斯林百兰的营销总监一职。"睡眠"这个词对我产生了不可抗拒的魔力，让我不再满足于仅仅销售一些睡眠产品。我曾担任英国睡眠协会的会长，这是一个消费者教育组织，致力于促进睡眠质量，并提出一些睡眠建议。这一职务进一步深化了我对睡眠的了解。在那儿，我认识了克里斯·艾德辛科斯基教授，他是这一领域的权威专家，并即将成为我难能可贵的朋友和同事。与此同时，媒体杜撰了我的职位头衔，称我是曼联的"睡眠教练"。"他究竟是做什么的？"他们问道，"晚上负责把球员们塞进被窝里去吗？"

　　事实上，我做的事情中包括将第一个睡眠修复室引入曼联的卡林顿训练基地，这很有可能是全球首个睡眠修复室。现在，许多一流的足球俱乐部都有这样的睡眠修复室，但在当时有可能是第一个。

　　消息很快传开了。英格兰队的曼联球员，从来不会屈居第二。于是，英格兰足球协会的行政官安迪·欧德诺和英格兰队的理疗专家加里·勒温——他也是阿森纳队的理疗专家，很快就来找我了。我开始为英格兰队服务，给他们引进了新的睡眠产品，并建议球员们改善他们的生活习惯。加里看到了我的工作成效，邀请我加入了阿森纳队。当时，阿尔赛纳·温格刚刚担任阿森纳队的主教练，正在大刀阔斧地进行改革，改变了许多足球界的习惯做法。另一位运动科学的早期接受者、时任博尔顿漫游者俱乐部经理的萨姆·阿勒代斯，也邀请我加入他们。

随后，我开始与英国自行车队合作——为克里斯·霍伊爵士、维多利亚·彭德尔顿、贾森·肯尼、劳拉·特洛特等名将提供咨询；我也开始与天空车队合作，协助他们在多次环法自行车赛中大获成功。作为天空车队绩效主管戴夫·布雷斯福德提出的"边际增益"理念的一个组成部分，我还设计了一套供赛车手舒眠的便携式寝具，而不是让他们睡在宾馆的床上。此外，我受到了英国奥运会选手和残奥会选手的邀请，涉及的项目包括赛艇、帆船、雪橇、小轮车越野赛和自行车越野赛；还受到了橄榄球队、板球队以及更多的足球俱乐部的邀请，比如曼彻斯特城足球俱乐部、南安普顿足球俱乐部、利物浦足球俱乐部和切尔西足球俱乐部。

这一席卷体育界的革命，并没有仅仅停留在英国，毕竟人类都需要睡眠。我受到了一些欧洲顶尖的足球俱乐部的邀请，比如皇家马德里足球俱乐部。在皇家马德里俱乐部，我建议他们将训练基地那些奢华的运动员公寓改建成理想的修复室，供一些世界顶级的足球运动员使用。在2014年冬奥会前夕，我曾和荷兰女子雪橇队密切合作，还训练过来自遥远的马来西亚的自行车选手，以及和NBA、美国国家橄榄球联盟的一些球队积极沟通。

这一切接踵而至是因为，我是关注职业竞技运动的第一人。另外，在亚历克斯·弗格森爵士在任的数十年中，他始终如一地重视吸纳新事物、新理念。他非常开明，对我深入研究这一课题大有帮助。当时他曾这样说："这是一项令人振奋的研究成果，我衷心支持。"

很多人在听说了我的工作内容之后，头脑中就会浮现出某种时髦的睡眠舱，或是高科技的、科幻式的白色实验室。实验室中，正在沉睡的人体连接着超级电脑。这和实际情况相去甚远。没错，如果有必要，我的确会使用各种高新科技，也的确和睡眠领域中的一些一流学术人员合作密切，比如艾德辛科斯基教授。但我的日常工作场所并不是什么实验室，也不是什么诊所——要知道，我既不是医生，也不是科学家。

近些年来，临床医学已经证明了睡眠对健康的重要性。一些在全世界备受推崇的高等院校和科研机构，包括哈佛大学、斯坦福大学、牛津大学、慕尼黑大学在内，已经在这一领域中展开了前沿研究。这些研究包罗万象，从探索睡眠和肥胖症、糖尿病[1]的关联，到证明大脑能在人体睡眠时清除体内毒素，不一而足。这些研究有可能已经阐明了人类需要睡眠的部分关键原因。[2]无法获得充足睡眠并彻底清除这些毒素，有可能会引发一系列神经系统疾病，包括阿尔茨海默病。

健康问题是各大政府和企业开始关注睡眠问题、关注相关研究并为这些研究提供资金的一大原因，正如杰米·奥利弗发起的给含糖饮料征税的请愿活动一样。压力重重和精疲力竭，都不利于经济的发展。

尽管这些研究睡眠的家伙聪明得让人妒忌，但他们仍然举步维艰。关于睡眠的奥秘，我们依然所知甚少。正如斯坦福大学睡眠科学和医学中心的菲利普·穆汉副教授所指出的那样，"其实我们并不了解睡眠，这有可能会让那些外行大吃一惊。"

但我们能确定的一点是，睡眠对我们的健康至关重要。没有一位科学家会否认这一点。简单地说，我们并没有获得充足的睡眠。据预测，平均而言，当代人比生活在 20 世纪 50 年代的人少睡 1～2 个小时。[1] 那么答案就是我们该多睡一会儿吗？

那么一个单亲妈妈该怎么办？要知道，她每天拂晓时分就要起床，接着送孩子们上学、工作一整天、回家做晚饭、让孩子们上床睡觉，然后做完家务。在做完这一切后，她才能精疲力竭地倒在床上。她怎样才能多睡一会儿呢？还有那些年轻的医生该怎么办？工作让他们从早到晚忙个不停，同时，他们还想保留那么一丁点儿的个人生活，他们又怎样才能多睡一会儿呢？一天总共只有 24 个小时。

如何才能让这些人从关于睡眠的研究中直接受益呢？怎样才能让这些研究更加实用，而不仅仅是被普通人当成在上班坐车时偶然看到的一则有趣新闻，等到他们在办公桌子前坐下时，已经把这则趣闻忘得干干净净。

---

1 英国睡眠协会的数据。

运动员们不太愿意让自己的睡眠受到监控。除了对打电话干扰我们私生活的老板干瞪眼之外，睡眠算得上是我们尚能享有的少而又少的几项隐私之一。通常来说，在睡眠时人们不希望自己被连上电脑、受人监控，他们可不愿意让他们的经理知道自己晚上都干了些什么。这太侵犯隐私了。

我的方法与之大相径庭。当然，相关科学和研究能给我带来不少启示，让我知道我该做些什么。但我主要通过实践直接和人们互动，让他们获得最佳的睡眠和修复，从而有最佳的表现。那些采用我方法的人，他们的自我感觉、身体恢复情况以及职业表现——这是最重要的——都会有显著改善。这是有目共睹的，我能看到效果，他们自己也能看到效果。这些职业运动员都做过标准的临床测试，而竞技体育的实证研究结果是不容辩驳的。

我会和运动员们聊聊他们的生活习惯，为他们提出些实用的建议，并让他们掌握一些诀窍，学会合理安排睡眠时间，从而获得公认最科学的睡眠时长。我为他们设计并寻找睡眠产品，帮助他们应对各种睡眠问题——从对付新生婴儿到摆脱安眠药，并且在酒店客房中营造出一种有利于睡眠修复的环境，不一而足——从而让参加自行车赛的选手和参加国际锦标赛的足球运动员能发挥出最佳状态。此外，如有必要，我会去他们家中，为他们布置、改善一下睡眠环境。

但是，如果你想知道，克里斯蒂亚诺·罗纳尔多的床头柜中都有些什么，你恐怕要失望了。这些运动员和体育机构都绝对信赖我。他们允许我进入他们的私人空间，我不能辜负他们的信任。你会让你不信任的人进入你的卧室吗？但我能告诉你的是，我将什么样的方法和技术带入了这些私人空间，并且我能让你了解，如何像优秀运动员一样，布置你自己的睡眠环境。

　　"很好，"你也许会想，"但是那些一流体育健儿的睡眠习惯，和我有什么关系呢？"太有关系了，这就是我的回答。本书中提到的一切建议和方法，对我们这些普通人都有效，就像它们对克里斯蒂亚诺·罗纳尔多、维多利亚·彭德尔顿或布拉德利·威金斯有效一样。此外，我也帮助过许多体育圈外的人士，包括企业员工和想要改善睡眠质量的居家人士。如果说职业运动员和其他人有什么不同，区别只有一点：投入程度不同。如果一位奥运选手想要改善睡眠质量，他一定会按照我说的做。运动员大多如此。只要他们能够看到收获，哪怕只是微乎其微的收获，都会努力争取。因为假以时日、积少成多，他们就能拥有比竞争对手更棒的表现。而对于我们来说，也许能坚持几天，但真实生活立马就会横加干涉，接着就会重蹈覆辙。工作到深夜或在多喝了几杯后醉倒在沙发上不省人事，这样的情况太普遍了。

　　本书并不是一本时髦的"睡眠计划"书。我不会给你一个你只能坚持一周的刚性计划。人生多艰，我不会让你的人生变得更加艰难。

　　我将为你呈现我的 R90 睡眠修复方案。我训练那些优秀运动员时，用的就是这套方案。将近 20 年前，当我担任职业睡眠教练的时候，在从多名医生、学者、运动科学家、理疗师、床垫和寝具制造商甚至我的孩子们那儿吸取了不少知识之后，我设计出了这一套方案，并在竞技体育的前沿领域测试了这一套方案。这些运动员将人体体能发挥到了极致。我也可以向你展示，如何才能发挥你自己的最佳水平。

　　把这一方法融入你的生活中，你就能获得额外的能量，无论是在生理上还是心理上。你将了解，睡眠可以是多相／多阶段的。我会帮你选择最佳的睡姿（我推荐的最佳睡姿只有一种）。你将不再苦苦计算你一个晚上总共睡了几个小时，而是每个星期你总共获得了多少睡眠周期，从而坦然接受那些没有睡好的夜晚，并且学会放松一点儿。我们都有睡不好的时候，但第二天都得起床，继续新的一天。

　　这本书将给你带来许多你从未考虑过的信息，这些信息将影响你的决策：你该选择办公室中的哪张办公桌？在和伴侣一起入住酒店时，你该选择床的哪一侧入睡？抑或你正在考虑入手的卧室，究竟能否满足你的需求（这是一个原则问题）。我会列出七大睡眠修复的关键指标，它们是 R90 方案的基石。针对每一指标，我会给出七个改善睡眠的要点，哪怕你只采用了其中的一个要点，也将让你的生活质量大为改观。如果你每天采用其中的一个要点，你的睡眠质量将在七个星期之内获得飞跃式的改善。

而且，你不必牺牲自己原来的生活方式。你仍然可以喝下那杯充满诱惑的咖啡。夏夜和朋友们享受欢乐时光时，你不必拒绝再喝一杯。如果你在晚上9点之后才在餐厅坐下，准备享用晚餐，并思考现在进食会不会太晚的时候，你可以再想一想：真的太晚了吗？

人生短暂，美好时光、极致体验不容错失。因此，我希望给你信心，让你做出这些决定，并弹性地安排你的时间，而无需担心"准时"上床这个问题，也不会为必须"睡个好觉"而备感压力。采用本书中为你制订的这些措施，你就能学着改善睡眠的质量，而不是为睡眠的时长苦苦纠结。

本书将会说明，在更好地调控睡眠这一点上，我们能从旧石器时代的祖先那儿学到什么——试着回顾一下古人是怎样睡觉的；同时，试着应付好现代社会给睡眠带来的各种挑战——比如，智能手机、笔记本电脑、飞行时差和工作到深夜。现代科技是一个好东西，因此，我不会建议你为了好好睡上一晚就放弃这些现代科技产品——可以继续保留这些现代产品，而且这只是一个开始——只需稍加注意，别让它们影响我们的健康。

你将会看到，只不过多掌握了那么一点儿卧室中的小诀窍，你的爱情生活就能获得多么显著的改善。还有，为什么我们不该忽视午睡的神奇力量——以及如何在一间人满为患的屋子里睁着眼睛午睡。我很有可能会让你发现，你现在睡的床垫并不适合你，甚至——特别是——一张你抵押了房屋、借了2000美元购买的"矫正型"厚床垫。但我也有一个好消息告诉你，要纠正这样的错误，并不需要花一大笔钱。我会告诉你一个非常简单的选择床垫的好办法，就连傻瓜也能马上学会。这意味着，你再也无需忍受销售人员喋喋不休地向你推销有"数千支弹簧"、有加速带的床垫，这样的床垫当然价格不菲。

R90睡眠修复方案和戴夫·布雷斯福德的"边际增益"理念是一脉相承的。运用我的睡眠专业知识，只是我训练自行车队队员的一个方面。我的工作还包括，教那些自行车手如何洗手，才能最大限度地避免染上病毒——布雷斯福德想在这方面有所改进。因为，哪怕只有1%的改进，也能积少成多，让他们的比赛成绩大幅提高。

根据R90方案，夜间从睁开眼睛到闭上眼睛的过程中，我们所做的每一件事都将影响睡眠质量。当我们准备静下心来、上床睡觉时，如果采纳"睡眠修复关键指标"中提出的那些建议，就能积累我们的边际增益。

也许你并不能在一夜之间看到成效——哪怕是在你特别香甜地睡了一晚之后。但是请你假以时日。一个天空车队的车手需要经过数年时间的磨炼，才能在环法自行车赛中一举夺冠。你将发现，R90 方案让你的睡眠质量快速改善。相对车手多年训练方才获得成功，它的收效显得快多了。那些接受过我的建议的人，常常在几个月后就打电话给我，并欣喜地告诉我，"你改变了我的人生"。

你也能改变你的人生。让我们从现在开始，更明智地利用好你的睡眠时间。和我训练过的那些运动员一样，你也将通过睡眠，实现最大限度的身心修复。你也许会发现，实际上你并不需要那么多的睡眠时间。无论在工作时还是在家中，你一定会感受到自己的心情变舒畅了、能力提高了。你也会更了解，什么时候该稍微放松下，休息片刻、小憩几分钟。"哦，可是我没有时间休息。"你说。你再考虑一下。我有许多让你找到时间休息的小诀窍和好办法，让你能在更少的时间内完成更多的事情。

如果你希望这本书会教你如何穿上睡衣、捧着可可、在床上度过睡前的温馨时光，那你就找错书了。当然，我能指给你看，那个满是灰尘的角落在哪儿。但是，我试图让你明白，如何更智慧地睡眠，如何将睡眠作为一个工具，增强你的智力和体力表现。不要再把时间浪费在毫无成效的睡眠上了！

# PART 1

## The Key Sleep

## Recover

## Indicators

# 第 一 部 分

## 睡 眠 修 复 的

## 关 键 指 标

[ 01 ]

# 时钟在嘀嗒

——

## 昼夜节律

你被闹钟、手机铃声叫醒，伸过手去关了闹钟。你浏览着一夜之间传来的各种新闻、体育和娱乐新动态，查看着你的社交媒体应用软件、同事和朋友们发来的邮件和消息。你口干舌燥，大脑转个不停，思考着今天早上要做的事情。卧室的窗帘中透出亮光，电视机的待机信号灯在你的床尾一闪不闪地瞪着你，似乎在提醒你回想一下，昨晚睡得怎么样。

欢迎来到新的一天。你昨晚睡得好吗？你知道怎样睡个好觉吗？

英国人平均每晚睡 6.5 个小时。此外，每晚只睡 5～6 小时的英国人，占总人口的 1/3，比 3 年前多了 7%。[1]世界各地都是这样。据报告，20% 的美国人在工作日的睡眠时间不足 6 小时，日本人的平均睡眠时间还要少得多。统计数据显示，在这些国家中，还有加拿大、德国这些国家[2]，大多数人会选择在周末"补觉"。几乎有一半英国人声称，他们在遇到压力、产生焦虑时会无法入睡。如果对人们的日程安排略加了解，你一定不难看出原因何在。

一位一流的板球队员，很可能会在印度参加国际决赛后的第二天就返回自己的国家，听我为板球队员们做睡眠讲座。他很可能在想什么时候才能好好睡一觉。因为，在随后的几个月中，他会在世界各地奔波，参加各种类型的板球比赛——锦标赛、单日赛、每方20回合的二十20比赛。当然，如果你已经掌握了方法，坚持上一段时间也不会有什么问题。那些环球航行的水手，也许得在茫茫大海上连续生活三个月，每12个小时只能睡上30分钟。要知道，人类是一种具有旺盛精力和惊人毅力的生物。但是，长此以往，迟早不知道什么地方就会出问题。一些运动员联盟，比如板球联盟和橄榄球联盟，开始邀请我做运动员们的睡眠教练，帮助他们安排每日的日程。因为他们发现，出现抑郁症状、人际关系面临危机或体力透支的运动员越来越多了。

当然，这种情况并不仅仅局限于运动员，正在全社会中大肆蔓延。为了满足工作和个人生活的需求，我们常常面临各种困境。我曾经坚持干一份工作五年，从现在了解的情况来看，这份工作我的确干得太久了。那时，我经常长时间地工作，每日承受着繁重的压力，并且经常需要出差。经常出差意味着经常不在家中，但这些商务旅行中，不乏精致高档的餐饮、杜松子酒和咖啡，所以我坚持了下来。当你觉得你能应付的时候，你一定能通过某些方面获得补偿。然而，这份工作严重影响了我的家庭生活。

那时的我，每天能得到多少睡眠呢？英国板球队的队员们，他们每天能睡多久？一个深夜还在打电脑游戏的少年呢？你呢，你每天能睡多久？这真的很重要吗？

从目前来看，睡眠时长并没有那么重要。真正至关重要的，是一个伴随人类产生的自然过程。而现代生活的方方面面，正在剥夺我们的这一自然过程。人造光、新科技、轮班制、安眠药、差旅、一醒来就查看手机、工作到深夜——甚至还包括早上不吃早饭就冲出家门直奔公司，这一切都在迫使我们远离这一自然过程。而休息和修复的问题，就这样应运而生了。

## - 人间蒸发片刻 -

让我们先人间蒸发片刻，真正回归自然，抛开一切私人物品——我们的手表、电脑和手机——前往一座无人居住的小岛。我们将远离大陆上的生活，就像我们的祖先一样。我们将在星空下捕猎、捕鱼和睡眠。所以，你一个人伤心去吧，贝尔·格里尔斯。

接着，我们将在这座岛屿上、在连绵起伏的郊野地带搭建营地。当太阳下山、气温下降时，我们就生一堆火。我们会在黑暗中待很长时间，所以要吃点东西。我们烹制晚饭，享用白天捕获的猎物。吃饱喝足之后，我们就围着篝火坐成一圈，一边取暖一边轻声聊天，凝视着橘黄色的篝火。渐渐地，聊天的声音越来越小，我们凝望星空片刻，然后一个接一个转身离开那堆篝火，盖上毯子，缓缓入梦乡。

早晨，太阳即将从地平线上升起，鸟儿还没飞来，但是鸟鸣声已经传来。随着太阳升起，气温开始上升。哪怕天气非常寒冷，气温仍然会上升 1～2 摄氏度，一切都变得亮堂起来。不管是否已经从毯子中探出脑袋，阳光都会照在身上，于是我们就会醒来。起床后，我们想做的第一件事很可能是排空膀胱，然后会喝一些水、吃点早餐。然后，我们去排个便，开始一天的钓鱼或者捕猎——这一切都在白天进行。一切都顺应自然的节律，不紧不慢，从容得很。

傍晚到了，夕阳西斜，我们开始启程回家。气温下降，天又黑了，我们会点燃篝火——一切又重新开始了。这样的生活、这样的作息返璞归真，顺应着我们天然的昼夜节律。

## - 你知道昼夜节律吗？ -

无论对方是一个一流的运动员，还是一个渴望睡个好觉的城市经纪人，我问对方的第一个问题往往是，"你知道昼夜节律吗？"

昼夜节律是生命体 24 小时的内循环，受我们的内置生物钟的管理。我们大脑中的这一生物钟，24 小时调节着我们的多个内部系统，包括睡眠和饮食习惯、激素的分泌、体温、灵敏度、情绪和消化，使其与地球的自转相一致。我们的生物钟是根据一些外部线索而设定的，其中最主要的是日光，此外还包括温度、进食时间等其他因素。

昼夜节律是内置在我们体内的，了解这一点非常关键。昼夜节律是我们每一个个体的有机组成部分，是经历了成千上万年进化后的产物。我们无法摆脱昼夜节律，就像我们无法阻止狗吠，也不可能去问一头狮子想不想试试吃素一样。狗和狮子也都有自己的生物钟和昼夜节律，就像别的动植物一样。纵然存在着外在刺激物，昼夜节律也会照常起作用。哪怕国际政坛风云变幻、核弹横飞，人类大难临头，不得不转移到地下并生活在没有日光的洞穴中，昼夜节律仍然会坚守阵地，存在于我们体内。

下图是一张典型的昼夜节律图，它展示了在一天中的不同时刻，人体自然而然地想要做些什么。

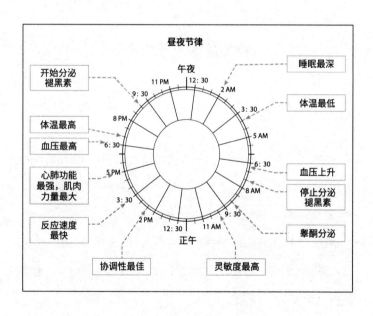

因此，在那个小岛上，当太阳落下、所有人围坐在篝火边

时，我们就开始分泌褪黑素了。褪黑素是松果腺分泌的一种激素，它会根据周围光线的明暗变化做出反应，帮助调节睡眠。只要在黑暗环境中待上足够长的时间，身体就会分泌褪黑素，帮助入睡。

生物钟并不是唯一的睡眠调节器。如果说，昼夜节律让我们产生睡眠欲望，那么自我平衡的睡眠压力会令我们产生睡眠需求。从我们醒来的那一刻起，这种来自本能的需求就开始不断积累。清醒的时间越久，这种需求就会越强。但是，昼夜节律有时能战胜我们的睡眠需求，这就是为何在陷入沉睡后能"恢复正常呼吸"的原因。还有，正如许多上夜班的工人和喜欢夜生活的恋人们体验过的那样，即使一晚没睡，我们也没法在白天的某个时间沉沉睡去。我们在和体内的昼夜节律较劲，昼夜节律敦促着我们日出而作、日落而息。

如果作息时间非常"规律"，能在早晨按时起床，那么到了晚上，睡眠需求就会达到峰值。这完全符合昼夜节律，为我们提供了理想的最佳入睡时机。我们会在凌晨2～3点左右进入一个高效的睡眠阶段（与此相对应，12小时后又会出现一个睡意蒙眬的时段，它会以午后倦怠的形式出现），并且不久之后，在太阳升起、新的一天开始之前，我们的体温也会降到最低点。这时，就像按下了一个开关一样，人体会停止分泌褪黑素，因为我们将从黑暗慢慢进入光明之中。随着日光渐强，我们体内开始分泌血清素，一种刺激情绪的神经传递素，它将和褪黑素此消彼长。

## - 照亮前路 -

光线是最重要的生物钟调节器，没有什么比早晨的阳光更加美好。在那个岛屿上，我们睡在星空之下，一醒来就照射到充足的阳光。但在现实生活中，我们大多数时间待在室内——家中、列车中或工作场所中。即便是在阴天，户外的光线也比室内的人造光明亮得多，所以当你醒来时，请拉开窗帘，吃个早饭，沐浴一下阳光，然后再出门。

人体对一种蓝光特别敏感。由于电脑、智能手机等电子产品的屏幕所发出的光线大多属于蓝光，让蓝光背上了恶名，但实际上，蓝光并不全是有害光——只有不合时宜的蓝光才对人体有害。日光中也充满蓝光，白天的蓝光对人体是有益的。它能帮助设置人体的生物钟、抑制褪黑素的分泌，提高人的灵敏度和各方面表现。[3]

但在天黑以后，蓝光就成了一种不良光线。如果你在入夜之后使用一些电子产品，或者在夜深人静时还对着一片蓝光，就会引发各种健康问题。它将导致克里斯·艾德辛科斯基教授所称的"垃圾睡眠"——受干扰和不充分的睡眠。这是因为，我们的生活方式和各种小玩意儿的出现，妨碍了褪黑素的分泌，并推迟了我们的生物钟。

在那个岛屿上，只有白天和黑夜。篝火的光芒是唯一的人造光，而篝火发出的黄色、琥珀色和红色光芒，不会影响褪黑素的分泌。

# - 坐在火边 -

无论我们有什么样的所作所为，每天太阳都会落下，第二天又会升起。如果能与这一自然过程保持协调一致，我们的大脑就会触发一系列身体功能，让昼夜节律图中所描述的那些事件，能够按顺序先后出现。这些事件未必会严格按照昼夜节律图中的时间出现，但是你的大脑和身体，会希望在那段时间前后，去做那件事。

很多人只有在长途飞行并出现时差反应时，才意识到昼夜节律的存在。这是因为，由于跨越时区的空中之旅速度太快，导致我们的昼夜节律和当地的昼夜循环出现了不同步。这和上夜班时无法让自己的作息时间和昼夜循环保持同步是同一个道理。然而，如果你能在日常生活中意识到体内生物钟的存在，就能逐渐明白，为何到了一天中的某个特定时段，你就会感到困倦乏力、昏昏欲睡，为何又会在夜间辗转反侧、难以入睡。了解生物钟的存在，不仅有利于你的夜间睡眠，也能让你的整个白天大大受益。

如果你早上飞也似的起床，提上零食和咖啡跳上列车去上班，就无法和你的昼夜节律实现同步。在那个岛屿上，我们根本无需如此匆忙。我们会先吃个早饭，然后，由于肠道在夜间受到抑制而必须再去上个厕所——我们可不想在白天打猎时上厕所。

同样，你会在人满为患的通勤列车上如厕，还是会违反自然规律地抑制你的如厕冲动？你会在火车站台上看到各种各样的消化产品广告——从优酪乳饮料到治腹泻药丸，不一而足，这种情况并非偶然。有一个著名品牌打的广告语是，"修复你身体的自然节奏"。它所传递的信息没错，可给出的答案不对。

如果你的健身计划中包括傍晚去健身房做剧烈运动，可要注意了，这个时间人的血压是一天中最高的。你要知道，剧烈运动会引起血压飙升，特别是如果你上了一点年纪的话。你可以问问BBC的安德鲁·马尔（他把自己突然中风归咎于用划船器健身时，运动强度太大）。因此，不妨套上可穿戴式健身追踪器，看看情况如何，想想要不要换个更好的时间健身。

当你在使用高科技产品时，不妨考虑一下昼夜节律这个问题。我并不排斥电子产品（我们又不是真的生活在那个岛屿上）。社交媒体是我开展业务的一大重要工具，我有一部手机，别人能够通过手机或电邮立刻和我取得联系。但是我的确知道，如果对着笔记本电脑工作到深夜，或在一个迁就对方的时间和处于另一时区的客户通视频电话，电脑屏幕中发出的人造光将会抑制我的自然睡眠过程。因此，在做完这些事后，我不会马上上床睡觉。我会把笔记本放到一旁，然后坐一会儿，让我的松果腺高效地工作并在黑暗环境中有效分泌褪黑素，而这正是它想要做的。

如今的日常生活中出现了那么多扰乱昼夜节律的事物，而我们所能做出的补救措施，简直少得可怜。如果必须上夜班或者工作到深夜，那么只能算不走运，我们只能加紧干完活儿。但是，如果了解昼夜节律的话，就不会让太多东西来添乱。我们可不想和自己的身体过不去。

正如牛津大学睡眠和昼夜节律神经科学研究所主任拉塞尔·福斯特教授在BBC的《生物钟之日》节目中所说：

> 人类真的是一个超级傲慢的物种。我们以为能够抛弃40亿年的进化，忽略根据昼夜循环得到进化的这一事实。也许只有人类这一个物种，会妄图凌驾于自己的生物钟之上。而且，长期违背生物钟，将导致严重的健康问题。

自19世纪以来，我们一直生活在人造光源之下。电脑和电视机——更不用说智能手机和安眠药——只是漫长进化长河中的新生儿。但我们还没有进化到知道如何应对这些新生儿的程度。

无论你现在在做什么，我希望你想象一下，我们俩在那个岛屿上，努力和那个人类出现后就一直存在的生物过程保持同步。这才是我们理想的生活。为了改善睡眠，我们跨出的每一步——无论多么微乎其微——都应该让我们更加靠近那种坐在篝火旁边的生活。

**昼夜节律：智慧睡眠的 7 个要点**

1. 走到户外！让日光调整你的生物钟，而不是人工光线。

2. 花时间了解一下你的昼夜节律，以及它将如何影响你的生活。让你的亲友也加入进来。

3. 了解你的各项高峰和低谷数值，监控那些会在你身上自然而然发生的变化。使用穿戴式健身追踪器进行测量。

4. 睡眠质量最高的时间出现在凌晨 2—3 点。如果在日出之后才去睡觉，你就违背了你的生物钟。

5. 早上放慢速度。醒来之后立马陷入一团忙乱之中，早晚会毁了你的身体。睡眠质量和我们早上醒来之后的所作所为息息相关。

6. 在晚上，蓝光是一种不合时宜的光线，尽量让蓝光变得暗淡。不妨多利用红光和黄光，甚至是蜡烛光。

7. 想象自己此刻在一个岛屿上、坐在篝火边的场景：在你目前正在做的事情中，哪些和这一场景起了冲突？你打算如何纠正过来？对目前的日常安排做出一些简单的改变，使你自己的身体状态更加吻合人体昼夜节律。

[ 02 ]

# 走慢与走快

——

## 睡眠类型

夜已深，足球场上灯火通明，草皮上冒着水汽。这里正在进行世界杯半决赛。人群陷入疯狂。占上风的球队正在发起最后的进攻——但球离球门还很远，裁判吹响哨子，宣布进入加时赛。让人畏惧的点球大战。你是主教练——你必须选出你的点球手。

你很快选出了前四名点球手，但在选择第五位点球手时犹豫不决起来。两名选手难分伯仲。选手 A 今晚没有发挥出最佳表现，特别是随着比赛的进行，他似乎有点力不从心。但他是一个完美的职业选手，并且一直非常努力。他看上去有点疲劳，今天晚上对他来说太漫长了。选手 B 今晚踢得不错，尽管已经激烈地比赛了两个小时，但他仍然意气风发、身手敏捷，但这位选手让你隐隐地觉得不妥。他向来自由散漫，早上训练时常常迟到，就算来了，也是一副梦游的样子。在众目睽睽之下，面对着点球得分的巨大压力，他会不会搞砸呢? 你的眼睛告诉你，他正是合适人选，但你的大脑一直在让你选择选手 A。

点球即将开始。选手 A 上前一步，准备踢球。只有他点球得分，你的球队才不会被淘汰出局。他小心翼翼地把足球放在罚球点上，向后退了几步，停下动作，深吸一口气，他跑向足球，稳稳地踢出一脚……

差了十万八千里。比赛结束。

## - 猫头鹰和云雀 -

很久以前，在我们开始重新定义睡眠方法之前，我们常说世界上有两种不同类型的人——猫头鹰和云雀，而现在则会这样问，"你了解自己的睡眠类型吗？"

你的睡眠类型描述了你的睡眠特点——你是一个喜欢早起的人，还是一个喜欢晚睡的人。睡眠类型并不会限定你的起床和上床时间，它显示的是你的身体希望在何时履行昼夜节律图（见上一章）中列出的那些功能。了解这一点也许能让你松一口气——原来那张图上所列出的时间，跟你的生活并没有什么关系。如果你是一个喜欢早起的人，你的生物钟会相对快一点。如果你是一个习惯晚睡的人，你的生物钟会相对慢一点。

睡眠类型是遗传的，我往往能在一公里之外就觉察出所遇到的那些人各自属于哪种睡眠类型。你喜欢熬夜和晚睡吗？早晨需要闹钟叫你起床吗？你想不想在白天午睡一会儿？你是否常常不吃早餐？在不用上班的日子里，你喜欢多睡一会儿吗？如果答案为是，那么你很可能是一个晚睡星人。

早起星人则能自然地醒来，美美地享用他们的早餐，尽情欣赏美好的清晨。他们往往不需要闹铃，白天也不太会感到疲惫，晚上通常会早早上床休息。

在时间上，这两种睡眠类型最多会相差两个小时左右，绝不会相差五六个小时。睡到中午能自然醒的人其实少之又少。即便拉着窗帘躺在床上，大脑也能感知到太阳升起。它也想要醒来。大多数人都知道自己属于哪种睡眠类型，但如果你仍然不太确定，那么慕尼黑大学的睡眠类型调查问卷，也许能让你找到答案。[1]

我们曾经都是喜欢早起的小孩。早上早早起床，晚上早早入睡，比大人提早好几个小时休息。但是进入青春期后，生物钟大幅向后推迟。我们想要晚点儿睡觉，晚点儿起床。青少年们往往给人们带来负面印象，但事实上他们也只不过是听从自己身体的安排。20 岁后，我们已经度过了晚睡晚起的高峰时期，生物节律开始向遗传类型回归。随着年龄的增长，生物节律开始慢慢往前移。[2]

## - 介于中间型 -

还有第三种睡眠类型——介于中间型。许多人属于真正的中间型，但实际上，大多数人尽管属于不同的睡眠类型，但都过着类似中间型的生活，晚上有一大堆消遣——吃一顿晚餐、喝一点酒、看一场晚上 9 点档的电影，在家看会儿电视（睡觉前再看一集电视剧）。为什么只有晚睡星人，才能尽情享受晚上的欢乐时光呢？晚睡星人渴望睡一个懒觉，因为这是他们的遗传天性倾向于睡懒觉，但又必须在早上 9 点钟上班。因此，晚睡星人必须通过闹钟和过度刺激——身心过度的活跃、摄入咖啡和糖，掩盖真正的睡眠类型。

为何了解你的睡眠类型很重要？如果我们能在想起床的时候起床、想睡觉的时候睡觉，每天都能睡到自然醒并自行选择开始工作的时间，那么了不了解就没那么重要了。但是，如果考虑到这一点，我们社会的工作文化就还需要继续改良。无论你属于早起型还是晚睡型，你都得按时起床，早上 9 点上班。即便你是一位足球运动员，仍然得一早起床赶火车。从这一点来说，晚睡星人更受罪，因为对于他们的内置生物钟来说，他们就像来到了另一个时区，必须努力适应。"社交时差"形容的就是这种情况。

由于天生习惯早起，早起星人会更早感到疲倦，并且更早睡觉。这意味着，凌晨 2—3 点是他们睡得最深的时候。在早晨到来时，他们已经经历了一段修复性的深度睡眠。在即将醒来时，他们的睡眠进入了相对较浅的阶段，甚至都不需要闹钟唤醒。晚睡星人则会熬夜到很晚，而这意味着当早晨到来时，他们往往需要闹钟叫他们起床，而他们此刻睡得正香（只好一次又一次按下止闹按钮），于是起床之后手忙脚乱、紧赶慢赶。晚睡星人很有可能得依赖咖啡因，才能继续维持这种生活。

# - 咖啡因的利弊 -

咖啡因是全世界最受欢迎的表现增强剂，一种会让神经变得兴奋、从而驱走疲劳的神经刺激物。研究证明，咖啡具有提高灵敏度、反应速度、注意力和耐力的功效。[3]

在竞技比赛特别是自行车赛时，我们用咖啡因安全、有效地帮助选手提高成绩，但会控制使用量。我们会根据选手的个人情况，在关键时刻让选手摄入适量的咖啡因（在一些耐久性比赛中，我们会让他们在比赛刚开始时摄入咖啡因，而不是在比赛的最后冲刺阶段）。如果一位骑手来参加比赛时，带了早餐和双倍的咖啡，我们会把这个也计算在内。各种层次的自行车队都存在自己的咖啡文化，但职业骑手训练有素，他们甚至对自己正在饮用的某品牌咖啡中的咖啡因含量了如指掌。

职业铁人三项选手莎拉·皮亚姆皮亚诺平时不喝咖啡，只在比赛时以能量胶的形式摄入一点咖啡因。她会在赛前和赛中的各个阶段，分别摄入定量的咖啡因。

但是，我也经常看到，其他项目的运动员在家里喝咖啡，或在训练时摄入咖啡因补充剂或嚼一种进口咖啡因口香糖。他们没有规划地大量摄入咖啡因，这将对他们的身体产生有害影响。

大量摄入咖啡因会令人焦虑不安。如果血液中的咖啡因浓度过高，将导致入睡困难或睡不安稳。咖啡因是一种容易让人上瘾的药物，如果每天大量摄入咖啡因，就会对咖啡因产生耐受力。你会需要越来越多的咖啡因才能达到想要的效果。一旦过量摄入咖啡因成为一种常规，那么，当你以为你在超常发挥时，实际情况往往并非如此。你会经常落后那几步，兴奋过度，变成自己的一个影子。因为，你虽然摄入了咖啡因，却只能达到你平时的水平。

研究显示，每 1000 克体重摄入 3～6 毫克的咖啡因，对运动员最有利。[4] 英国食品标准局的咖啡因每日建议摄入量是不超过 400 毫克，作为比较，星巴克的一大杯现磨咖啡中含有 330 毫克咖啡因，单份浓缩咖啡中含有 75 毫克咖啡因，而一杯自制咖啡中则含有 200 毫克咖啡因。

此外，咖啡因的半衰期是 6 小时。这就是说，咖啡因保留在体内的时间有可能比你想象中长久得多。如果你能做到不在晚上摄入咖啡因，让自己在夜间睡得更香，当然最好。但是，如果你已经喝了一杯星巴克大杯咖啡，又在上班时喝了一杯咖啡机现磨的咖啡、几杯茶（每一杯茶中含有 25～100 毫克不等的咖啡因），午饭时又喝了一罐可乐（含有 35 毫克咖啡因），那该怎么办？此外，尽管我们也许并没有意识到，但一些其他食品和饮料中也可能含有咖啡因，比如巧克力、止痛药甚至咖啡因含量很低的茶和咖啡中，因为低咖啡因和无咖啡因显然不是同一个概念。

如果你每天在随心所欲地用咖啡因过度刺激自己，那和运动员在竞技运动中摄入咖啡因可不是一回事。这说明你已经养成了摄入咖啡因的习惯，而不是为了某一特殊事件而偶尔摄入咖啡因。这并不是说，你绝对不能喝你想喝的那一大杯咖啡，没人会提出这样的建议。那群身穿莱卡的运动员，不是在咖啡馆外大模大样地喝着速溶咖啡吗？这足以证明我此言非虚。可是你为什么不计算一下，你大约摄入了多少咖啡因？你为何不更加理智地使用咖啡因呢？如果你有一个重要的会议，需要发挥最佳表现，或者手头有一份重要的工作需要你聚精会神完成，那么为什么不在这样的关键时刻再摄入咖啡因呢？让咖啡因发挥出表现增强剂的作用，而避免摄入了咖啡因后，却仍然表现平平。

## - 掌控你的睡眠类型 -

从长远来看，相对于毫无节制地大量摄入咖啡因，日光是一个有效得多的工具。对于晚睡星人来说，如果想调整自己的生物钟，让自己能跟上早起星人的节奏，那么早晨的日光极为关键。你可以去买一台模拟日出自然唤醒灯，它能在卧室中模拟日出，从而把你从睡梦中唤醒。你可以选择一个声誉不错的品牌，比如飞利浦或者卢米（Lumie），也可以拉开窗帘，走到户外。

然而，晚睡星人在周末同样不能睡懒觉。对于晚睡星人来说，这才是真正的噩耗。如果你整个星期都在努力地调整你的生物钟，以适应工作的需求，但是一到周末立刻恢复老样子，那么你的生物钟就会被调回到它原来的样子，周一就又得重新开始新一轮煎熬了。你将面临更严重、更让人难受的社交时差。

公司管理人员应该重视这个问题。在安排办公室的座位时，不要再根据职位高低，将职位高的员工安排在靠近窗户的位置了。可以考虑早上让晚睡型的员工坐在窗边，下午让早起型的员工坐在窗边。购买日光灯能同时帮助他们克服一天中最难受犯困的时段，从而提高工作效率。特别是在冬天，因为冬天光线更加暗淡。至于我的那几个足球俱乐部，我请人在训练基地的更衣室中安装了一些日光灯。那些足球手压根没有注意到这个变化——对他们来说，还不就是一些灯——你也可以这样布置你们的会议室。

但晚睡星人也并非倒霉到底，他们也有优势，能尽情享受夜生活，还能适应上夜班。医院中上夜班的早起型护士也需要日光灯和咖啡因相助，才能跟上那些晚睡型同事的步伐。无论你的睡眠类型是哪一种，想方设法适应环境、融入环境中，才是关键。

我们不妨再来看看岛屿上的情况。假设你是一个晚睡星人，而我是一个早起星人，随着回归各自的生物钟，我们必然学会怎样分工合作。晚上，你负责守夜站岗、照看篝火、整理营地、为第二天早晨做好准备，我将进入梦乡；早上，我会比你早醒一两个小时，我会重新生火，给我们做早餐，并且为新的一天做准备。

回到现实世界中，我们也可以利用睡眠类型给生活带来福利。

一个早起星人和他的晚睡星人伴侣，都需要在早上8点半出门上班。他在早上6点半起床，而她在早上8点起床。当然，每天他起床时，都会打扰她。她继续睡觉，并告诉自己这样对她有好处，但却始终在半睡半醒之间。如果他们能互相妥协呢？他们可以同时在早上7点起床，对于晚睡的她来说，这当然是一个巨大的改变。但早起的他会做早餐，并给晚睡的她留下一点空间，让她在日光下坐一会儿，调整生物钟并自然地醒来。这需要一个适应的过程，但突然之间这对夫妇好像更加和谐了。到了晚上，轮到晚睡的她多付出一点儿了，比如做晚饭和洗碗，因为早起星人这时已经很累了。

　　如果你是一个早起星人，知道自己早上的状态最佳，就可以利用这一点好好计划下一天的时间。假设你的工作内容包括管理公司的社交媒体账户、一些簿记工作、大量联络工作和一些日常的办公室工作，比如去邮局寄信、将文件归档。如果你可以自行决定先后顺序，就可以巧妙地安排时间，在早上撰写所有的推特稿和新闻稿，以及完成其他一切需要你打起精神的工作，下午邮局寄信、给文件归档。说到我自己，鉴于我是一个早起星人，如果你需要我正确处理一些账目，我建议你最好在早晨交给我处理。

　　但是，在日常工作中，我们往往无法享有这样的自由。有时，撰写新闻稿或别的需要动脑的工作，会在下午摆在你的桌面上，并且需要你尽快完成。与其在下午浪费时间而毫无进展，并且为此困惑不已，不如先停下来，好好想一想。如果你现在没有头绪，不如留到次日早上再做，到时你的精力会更充沛、头脑会更敏锐。

对晚睡星人来说也是如此。我会认真辨别我所服务的团队中所有队员的睡眠类型，这样做能让队员和教练都受益匪浅。

本章开头的选手 B 是晚睡星人，而 A 选手是早起星人，但他们的主教练并不知道这一点。如果他们邀请我和他们共事，我会发现这一点，并和选手 B 好好聊一聊。那么他就会明白，为何他早上总是起不了床，为何他总是少不了闹钟，为何他对早上的训练毫无兴趣。我能给他提出一些实用的建议。

而他的主教练就会明白，其实选手 B 并非自由散漫，而是他的身体构造决定了他生来不想在早上进行训练——他更喜欢在下午进行训练。当然，主教练绝不会把一次训练分成两次，让早起星人和晚睡星人在不同时间接受训练，但一定知道需要做出一些调整了，不应该让选手 B 在早上完成所有的训练，因为这样早晚会出问题。这会导致选手 B 的小伤小病永远无法彻底痊愈，导致他在重大比赛的关键时刻突然犯傻，因为自己一直在紧逼着他，而没有考虑到他的身体构造。

了解选手的睡眠类型，也能让这位主教练在随后的那个夏夜，当世界杯比赛的点球大战来临时，知道该如何做出选择。选手 A 是一个早起星人，深夜还在比赛，他已在苦苦坚持。至于选择他还是选择球技不相上下的选手 B，其实根本就不需犹豫：晚睡星人此刻的灵敏度更高，晚上是他状态最佳的时候。当然应该让他去。

**睡眠类型：智慧睡眠的 7 个要点**

1. 了解你和你的亲朋好友属于哪种睡眠类型。如果你不能确定，可以使用慕尼黑大学的问卷调查表。

2. 巧妙规划好你一天的日程，在你状态最佳时做最重要的工作。

3. 把咖啡因当成高效的表现增强剂使用，而不是出于习惯去喝咖啡，并且一天的咖啡因摄入量不要超过 400 毫克。

4. 晚睡星人——如果你想要克服社交时差，就不要在周末睡懒觉。

5. 在会议室、办公室和办公桌配置日光灯，提高员工的灵敏度、工作效率，并改善他们的工作情绪。

6. 知道何时该上前、何时该退后。如果你是一个早起型的人，那么你该不该自告奋勇地在深夜比赛中参加点球大战呢？

7. 如果你和你的伴侣属于不同的睡眠类型，你们应该学会彼此协调、彼此适应。

[ 03 ]

# 90 分钟睡眠法

——

## 睡眠周期

你在黑暗中醒来。"我睡了多久了？"你在想。你起床，去洗手间。回来后看了看手机：3 点 07 分。没事儿，还可以睡很久。如果现在马上睡着，那么到 7 点半闹钟叫醒你时，你仍然能睡上 8 个小时左右。明天对你来说很重要，你有许多工作要做，需要饱满的精神，需要睡足 8 个小时。

你就这样在床上躺了一会儿。又过了好一会儿，你看了看手机：3 点 53 分。没关系，时间还很充裕。当然，明天早上 10 点你得开会，所以必须精力充沛。可现在是怎么回事？你开始问自己。你又开始焦虑不安，不知不觉收紧了肩膀，不再采用侧躺的姿势，而是仰躺在床上，十指交叉枕在脑后。这样更方便思考。你又看了看手机：3 点 56 分。快到 4 点了。你已经失眠近一个小时了。明天如此重要，而你偏偏在这个时候失眠了。深更半夜，一想到这一点，你开始惶恐不安起来。

5 点 53 分，这个数字好像在嘲笑着你。接着，你就被 7 点半的闹钟叫醒了，口干舌燥、眼睛火辣辣地疼。你的睡眠时间离 8 小时相去甚远。今天该如何对付过去呢？

# - 一刀切？-

鉴于你正在看一本关于睡眠的书，如果现在有人让你随便说一个 1～10 之间的数字，你很有可能会马上想到"8"。每晚睡 8 个小时，听上去好像很完美。但这种持久存在的睡眠智慧，并不是对所有人都适用。

"8 小时睡眠"其实是一个相当现代的概念。后面我们还会说到多相睡眠，但现在我们只需要知道，在 19 世纪兴起工业革命和采用人造光之前，人们不太可能会在夜间一连睡上 8 个小时，更不可能会担心睡眠问题。

8 小时其实是每晚的人均睡眠时间，但不知从何时起，它却变成了普遍适用的推荐睡眠时间。然而，一味追求 8 小时睡眠而产生的巨大压力，反而对我们的睡眠起着破坏性极强的反作用，让我们无法获得真正需要的、因人而异的睡眠时间。

一刀切的思维方法，其实并不适用于生活中的其他方面。比如，在卡路里消耗这个问题上，具体标准因人而异，这是业界公认的：性别不同，需要消耗的卡路里不同。更重要的是，一个魁梧壮硕的狂热健身爱好者所需要的卡路里，当然有别于一个久坐不动、缺乏运动的人所需要的卡路里。又如，在糖、盐等物质的每日最高摄入量方面，的确存在一个固定的指导标准，但只要摄入量低于最高限定值，都是可以接受的。每天究竟该锻炼多长时间？对此并没有具体的时长标准（比推荐的时间多一点儿，通常总是好的）。唯有在睡眠问题上——而且不止在这一个方面（下文中将继续谈到），我们却接受了一刀切的标准。

事实是，我们每个人都是独一无二的。这个世界上既有英国首相玛格丽特·撒切尔和雅虎总裁玛丽莎·梅耶尔这种每晚只需睡 4～6 个小时的人，也有像网球传奇罗杰·费德勒和飞人尤塞恩·博尔特这种宣称自己每晚需要睡上 10 个小时的人。

除了这样的极端例子之外，我们每个人一生中需要的睡眠时间也会不断发生改变。在孩提时代和青少年期，我们需要的睡眠时间比成年人多得多。根据美国国家睡眠基金会的研究，14—17 岁的青少年平均需要每晚 8～10 小时的睡眠时间，而成年人平均只需要 7～9 小时的睡眠。

如果你并不需要每晚 8 小时的睡眠，但却在自己不困的时候或者躺在床上也睡不着的时候，强迫自己睡足 8 小时，那么就是在浪费时间。如果在半夜醒来看钟表，不安地计算着还需要几个小时的睡眠，辗转反侧，翻来覆去却越来越清醒，越来越担心没有睡够，你同样也在浪费宝贵的时间。

夜班工作者、航空公司职员、城市商人、跑长途的货车司机——他们无法获得每晚 8 小时的睡眠。我训练的那些运动员们，每晚也睡不上 8 个小时，这不仅仅是因为他们的时间安排很紧，而是因为他们以睡眠周期衡量睡眠，而不是执着于每晚睡了几个小时。

# - 睡眠周期 -

"R90"指的是以 90 分钟为一个周期，获得身体修复。"90"这个数字，并不是我从 1—100 中随意选择的。从临床上说，90 分钟是一个人经历各个睡眠阶段所需的时间。这些睡眠阶段组成了一个睡眠周期。

我们的睡眠周期由 4 个（有时是 5 个）不同的睡眠阶段组成。你可以把度过不同的睡眠阶段、完成一个睡眠周期的过程，想象成走下几段楼梯、完成一段行程。当我们关灯上床、准备睡觉时，就像站在这几段楼梯之上，而想要得到的深睡眠，就像走到了这几段楼梯之下。

## 楼梯上：打瞌睡

### 非眼动睡眠　第 1 阶段

我们缓缓地迈出了下楼的步子。在接下去的好几分钟内，我们似醒似睡、蒙蒙眬眬。你是否曾经感到自己正在坠落而突然惊醒？这样的情景的确会出现，其实这只是一种幻觉，但这意味着我们得重新下楼了。在这个阶段，我们很容易被重新推回楼梯上面——有人打开了门、路面上有人在大声说话，都能把我们惊醒。但只要成功地度过了这一阶段，我们就能继续往下走。

## 楼梯中：浅睡眠

**非眼动睡眠　第 2 阶段**

在浅睡眠阶段，我们的心率和体温出现下降。这时如果有人大声叫喊我们的名字，或者一位母亲（女性天生对此更加敏感）听到自己孩子的哭声，就仍然会被重新赶回楼顶。我们花在这一阶段的睡眠时间占比最高，就像走下了一段长长的楼梯。对那些一直被困在浅睡眠阶段的人来说，尤其如此。但是，如果整个睡眠周期进展顺利，那么这个浅睡眠阶段就不是在浪费时间。这一阶段能整合信息并提高运动技能表现 [1]。随着继续往下走，我们将来到真正的好地方。

## 楼梯下：深睡眠

**眼动睡眠　第 3 阶段和第 4 阶段**

恭喜你，你已经到了楼梯底下。在这个阶段，别人得费九牛二虎之力才能把你吵醒。如果你曾经费劲地把别人摇醒，或者，如果你曾经有过不幸地被别人摇醒、醒来时晕头转向、糊里糊涂的经历，那么一定就能了解深睡眠具有什么样的力量，睡眠惯性又是一种什么样的体验。梦游症患者会在这个阶段开始梦游。

深睡眠时，我们的大脑会产生 δ 波——一种频率最慢的脑波（在我们清醒时，我们的大脑会产生高频率的 β 波）。我们希望能在这个阶段多作停留、沉浸其中，因为睡眠的生理修复功效大多产生于这一阶段，比如生长激素分泌量的增加 [2]。也许有的读者知道，人体生长激素（HGH）是一种能够提高比赛成绩的药物，这种药物在体育比赛中是禁用的。其实我们的身体天然能分泌这种激素，而且它的功效非常惊人。美国临床心理学家、睡眠专家迈克尔·J.布利乌斯博士宣称，生长激素是一种能促进新细胞生长和组织的修复、让人体能在日常劳作后获得休整、让人（并让人感到）恢复生机与活力的关键成分，我们都离不开它。我们希望在每晚的睡眠时间中，深睡眠能占20%左右。

**螺旋滑梯：快速眼动睡眠**

披头士在歌曲《螺旋滑梯》（*Helter Skelter*）中唱道："回到滑梯的顶端，在那儿停留片刻，然后转身，再坐一次滑梯。"快速眼动睡眠阶段的情形与之类似。我们会重新走上楼梯，在浅睡眠区稍作停留，然后进入一个大家都熟悉的睡眠阶段——快速眼动睡眠阶段。在这一阶段，大脑将带着我们去坐一次滑梯——身体将暂时无法动弹。我们会做梦，所做的绝大多数梦都发生在这一阶段。这一阶段也被认为有益于开发创造力。[3] 我们需要往楼梯上走几步，停下，转身，去坐一次滑梯，正像需要去楼梯下一样。

同样，我们期待这一阶段能占睡眠时长的 20% 以上，而婴儿则需要 50% 以上。在快速眼动睡眠阶段结束时，我们会醒来，但通常情况下，我们不会记得自己曾经醒来——然后就开始进入下一个睡眠周期。

每晚的各个睡眠周期是互不相同的。在较早的睡眠周期中，深睡眠所占比重更大，因为身体此时希望我们能尽快进入深睡眠状态。而在较迟的睡眠周期中，快速眼动睡眠占有更大比重。但是，如果我们的睡眠时间比通常情况下少，大脑就会在较早的睡眠周期中插入快速眼动睡眠——这点足以说明快速眼动睡眠的重要性 [4]。试图通过早点睡觉或晚点起床来补觉，其实是在浪费时间，这就是其中的一个原因。失去的睡眠，无法再补回来，但我们的身体非常善于对此进行补救。

在理想状态下，我们晚上躺在床上时，应该以睡眠——醒来——睡眠——醒来的模式，顺利地从一个睡眠周期过渡到下一个睡眠周期，并随着时间的流逝，逐渐减少深睡眠、增加快速眼动睡眠，直到清晨醒来。这就是拥有高质量睡眠的关键——我们所需要的浅睡眠、深睡眠和快速眼动睡眠，在一系列连贯的睡眠周期中相继出现，从而感到自己连续完整地、美美地睡了一晚。

但是，在这个过程中，我们会遇到各种障碍物：噪声、年龄、压力、思虑、咖啡因、生理干扰——比如，伴侣的腿压在了我们身上、通过口腔而非鼻腔呼吸、打鼾、睡眠呼吸暂停、温度不适、想要上厕所等，这些都会让自己被迫回到楼梯顶端，导致许多人在劫难逃地把大量睡眠时间都花在了浅睡眠上，或者睡眠周期被彻底破坏。

睡眠障碍对人体的影响不轻，轻则导致白天备感倦怠，重则危及生命。如果缺乏睡眠，身体会在最意想不到的时候——比如驾车时或操作机器时，让我们陷入微睡眠中。

如果一直被困在浅睡眠中，那么睡了多久就不重要了——我们将无法充分享受睡眠的种种益处。R90方案将帮助应对这些妨碍睡眠的障碍，让我们先从早上的闹铃说起。

## - 快醒来！-

在现代世界中，自由与灵活似乎备受人们追捧。为了避免一成不变的呆板生活，我们选择了熬夜、过周末或外出旅行，但这是有代价的。如果你下班后多喝了几杯、多吃了几口，那么是否就该把第二天的闹钟往后拨一点，让自己能多睡一会儿？在不上班的日子，当然最好是把闹铃关了，是这样吗？

事实上，如果想提高睡眠修复的质量，那么设置固定时间的闹铃，正是我们能采取的最有效的方法。

我们的身体喜欢这样的安排，因为人体具有根据日出日落时间而自然形成并且几乎恒定不变的昼夜节律。大脑也喜欢这样，因为在固定的时间醒来，有利于我们树立信心，在生活中的其他方面更加灵活。

选择一个固定的起床时间，需要我们好好思考一番，也需要付出一定的努力，因为你必须坚持做到，在这个固定的时间起床。我的建议是，你不妨回顾一下之前两三个月的生活，把工作和个人生活因素都纳入考虑范围，然后选择必须起床的最早时间。这个起床时间，应该是每天都能实现的。并且除了某些特殊情况——比如要赶早晨的航班——之外，在你的日常生活中，并没有任何事情需要你起得比这个时间更早。因此，如果你有时需要在早上 7 点起床去参加会议，那么就该选择 7 点，而不要选择 7 点半。并且你得记住，周末也要遵循这一起床时间，因此不要选择不太现实的时间，然后幻想你可以在周末大睡懒觉。

你可以考虑一下你的睡眠类型。如果你是一个晚睡星人，不要强迫自己太早起床，但也别忘了，不要让你的固定起床时间比日出时间晚太多。你的固定起床时间和日出时间相隔越远，你就越背离你的昼夜节律。对于一个必须背离自己的昼夜节律、早起上班的晚睡星人来说，这一固定起床时间对于重设每天的生物钟、使自己跟上其他人的步伐，是至关重要的。

一旦确立了必须起床的最早时间后，你可以把这个时间设置为你的固定起床时间。在理想状态下，你的固定起床时间，应该比你必须上班、上学或做其他事的时间早至少90分钟。这样在睡醒之后，你才有充分的准备时间。

一开始，你会需要一个闹钟。但是你会发现，你的身体和心灵会接受训练，并自觉在这一时间醒来。不久之后，你就会关掉闹钟。因为在闹铃响起之前，你已经醒来了。

现在，你可以根据你的起床时间和90分钟时长的睡眠周期，再回过头去计算一下，你应该在什么时候睡。如果你和大多数人一样，希望每晚能获得大约8小时的睡眠，那就大致相当于每晚经历5个睡眠周期（等于7.5个小时）。如果你选择在早上7点半醒来，那么就该在午夜时分睡着。但是，你应该提前15分钟躺下休息——或者，你需要多久才能睡着，就该提前多久上床睡觉。

我开始培训运动员时会问他们，昨天晚上睡了多久。他们很可能会给我一个模糊的答案，也许会这样说："哦，大概七八个小时吧。"他们就和我们一样，对此随随便便。他们知道自己是在晚上11点前后上的床，确定夜间去了一次洗手间，然后记得自己是在早上7点或7点半前后起的床。昨天晚上，谁知道呢？

确立一个固定的起床时间，就不会让睡眠显得如此随意。这样做能帮助我们建立一种常规，有信心知道自己究竟睡了多久。一个受我培训了一段时间的运动员，一定会毫不犹豫地回答："昨晚我得到了5个睡眠周期。"

如果每晚都能做到这一点，那么一周你就得到了35个睡眠周期，这简直太完美了。但这样完美的事，似乎从来都不可能发生。现实生活会以各种方式干预我们的睡眠：对于一个足球运动员来说，他有可能要在晚上比赛；对于其他人来说，有可能是回家的列车晚点了、吃饭晚了、在看一本放不下的好书或者老朋友打来了电话。你必须灵活机动地适应这些，继续好好享受你的人生并且好好工作，而不是过多地担心你的上床时间。所以说，你的入睡时间并非一成不变。你每天在同一时间起床，但每天上床睡觉前有90分钟的缓冲时间，尽管你不该在理想的睡眠时间到来之前就上床睡觉。我们已经说过，失去的睡眠是补不回来的。

　　因此，如果你选择在7点半醒来，但回家有点晚了，无法在午夜时分自然而然地进入睡眠状态，你可以在凌晨1点半入睡，这样仍然有4个睡眠周期（6个小时）。如果你回家更晚，并在凌晨3点入睡，那就只剩下3个睡眠周期了，这有点太少了。

　　现在你和我的那些男女运动员一样，睡眠时间有限。他们喜欢把90分钟作为一个单元：方便计算、容易实现。足球运动员当然喜欢这样的睡眠周期，因为一场足球比赛的时间也是90分钟。他们知道，如果特殊情况需要，他们可以根据自己的目的，巧妙地安排自己的睡眠周期。他们能够控制自己的睡眠修复过程。

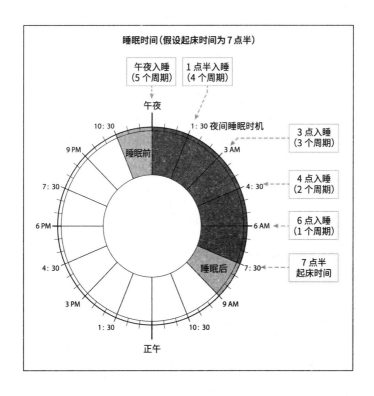

睡眠时间(假设起床时间为7点半)

午夜入睡
(5 个周期)

1 点半入睡
(4 个周期)

3 点入睡
(3 个周期)

4 点入睡
(2 个周期)

6 点入睡
(1 个周期)

7 点半
起床时间

午夜

夜间睡眠时机

睡眠前

睡眠后

10:30
9 PM
7:30
6 PM
4:30
3 PM
1:30
正午
10:30
9 AM
7:30
6 AM
4:30
3 AM
1:30

# - 睡眠调度 -

　　我们想要通过睡眠获得修复，但许多人都会面临的一个睡眠障碍就是，担心自己睡不好。不困就上床或是还没有准备好就上床，只会引发不少问题。而在夜间睡到一半时，因为睡不着了而压力重重、忧心忡忡，这也并不能让自己快速睡着。一旦开始担心这个问题，身体就会释放出肾上腺素和皮质醇等压力激素，反而更加清醒。

对于那些没有睡眠问题的人，一个"没睡好的糟糕晚上"只是偶然现象，或者只在过于紧张、压力过大的时候才会出现。如果放在更长的时间段来考察，这样的情况也许一周只有一天，或者一月只有数次。

我们不妨合计一下每周你所拥有的睡眠周期，而不是每晚睡了几个小时。突然之间，在7天中有1天没有睡好，好像也没有那么糟糕了。我们立刻放下了思想包袱，因为并不是非得每晚都睡足8个小时。一个晚上并不会决定一切。所以，如果一个人每晚需要5个睡眠周期，他完全可以将每周获得35个睡眠周期，设为自己的目标。

我会和一个运动员一起坐下来，先了解一下他的时间安排，然后告诉他该如何实现这一目标，并标出那些会出现问题的地方。我们会把参加欧洲冠军联赛的工作日晚上作为问题点标记出来。比赛要到晚上10点才会结束，之后有记者采访，还得考虑让肾上腺素降下来的时间以及路上交通的时间。在那天晚上，他应该无法实现5个睡眠周期。所以我们会想想，他怎样能得到一些补偿。

我们会尽量避免连续3个晚上缺失睡眠周期的情况出现。相反，尽量使他能在比赛日之后的一晚或两晚，拥有完美的时间安排。如果能够保证每周至少有4个晚上拥有完美的时间安排，那么就没问题了。最关键的一点是，我们需要了解自己究竟得到了多少睡眠，这样就能一目了然地看出，是否把时间安排得太紧凑了。如果一周中有 5 个晚上的睡眠周期数量少于理想值，并且这不是临时的权宜之计的话，我们就得再研究一下了。

俗话说，"授人以鱼不如授人以渔"。给人一条鱼，能喂饱他一天；教人如何捕鱼，能喂饱他一辈子。这个道理同样适用于 R90 方案。当我能把日程表递给我的客户并告诉他们"我知道按照这个日程安排，你每周能获得 30 个睡眠周期，具体取决于你自己怎么做"的时候，就达到一定的境界了。接下来的一切，都在他们自己的掌控之中。

一个人如果能这样控制自己的睡眠，那么他就能更好地掌控全局。此外，在短期中巧妙地掌控自己的睡眠周期，从而留下更多时间，以满足特殊事件或人生特殊阶段的需求，并将此作为一次受控的生活方式变革的一个组成部分，是完全有可能的。一个为奥运备战的运动员，可以从每晚获得 5 个睡眠周期调整到每晚 4 个睡眠周期，这样就相当于每个月多出了两天时间。了解睡眠时间可以进行调整——尽管只是权宜之计，能给他们带来更多信心。有的人从 5 个睡眠周期切换到 4 个睡眠周期后，发现状态反而更佳，就再也不会在半夜无故醒来了，因为终于知道自己究竟需要多久的睡眠时间了。他们知道自己的时间很充裕，精神焕发，并非常乐观。

你也可以这样做。你可以先从每晚 5 个睡眠周期开始，看看

7天之后感觉如何。如果觉得 5 个周期太多了，可以减少到 4 个周期。反之，如果没有睡够，可以增加到 6 个周期。你会知道什么最适合自己，因为当你适应这样的安排之后，感觉会好极了。我想让你拥有自信，让你知道你能掌控自己的睡眠。当你找到了你的理想睡眠时间之后，可以试着对它做出一些调整，让它和你的生活方式更加匹配、协调。和那些优秀的男女运动员一样，如果在获得充足睡眠之后的连续两晚后都睡得过少，就该引起注意了。此外，每个星期要争取获得 4 个睡眠充足的晚上。

如果你不一定能坚持做到这一点，也不必恐慌，正如不必在半夜三更为当晚没睡足 8 小时而感到恐慌一样——因为你已经开始掌控自己的睡眠。通过有计划地安排睡眠时间，你就能知道，哪几天睡眠是不够的，哪几天可能会出现问题，而不是仅仅感到自己没有睡够，却没有任何证据可以支持你的想法。你还能发现，在那些地方你需要修改一下计划。

等你习惯了按照睡眠周期睡眠之后，就可以和那些备战的奥运选手一样，在短期中调整你的睡眠周期，以应对特殊情况的需要。如果你在接受训练、准备参加马拉松比赛，并且同时还得让训练不耽误你的工作，就可以适当减少睡眠周期，给训练留出时间。如果你参与了一个需要你付出更多努力的项目，就可以减少到 4 个周期，从而顺利完成项目。如果在短期之内你的时间真的特别紧张，试试能否压缩到每晚 3 个睡眠周期。

现在，你也许想说："每晚只睡 3～4 个睡眠周期，我可受不了！"你会这么想，是因为你仍然在孤立地看待睡眠。你只看到了每晚的睡眠时间，而没有看到，这是一个全天候 24 小时的修复过程。在一天 24 小时中，还有其他时机能让你弥补每晚缺失的睡眠周期。此外，你还没有认识到，准备上床睡觉的那段时间和醒来后的一段时间，也是睡眠修复的一个不可或缺的组成部分。在后面的两章中，你会发现，睡眠并不仅仅包括你每晚睡觉的时间。

**睡眠周期：智慧睡眠的 7 个要点**

1.固定的起床时间就像一根铁锚，支撑着整个 R90 方案。设定一个固定的起床时间，并持之以恒地坚持下去。如果你和伴侣同床共眠，让他也这样做，你们的起床时间保持一致是最理想的。

2.用 90 分钟时长的睡眠周期衡量睡眠，而不是睡了多少小时。

3.你可以自行选择入睡时间，但入睡时间取决于你的起床时间。从起床时间出发，根据 90 分钟时长的睡眠周期，向后推算。

4.把睡眠放在更长一段时间中考虑，减少不必要的压力。一个"没睡好的糟糕晚上"不会要了你的命，不妨试着去考虑，你每周一共获得了多少睡眠周期。

5.尽量避免连续三个晚上睡眠不足（少于理想的睡眠周期）的情况发生。

6.睡眠不是一个简单的数量或质量的问题，试着了解你究竟需要多少睡眠时间。对大多数人来说，每周获得 35 个睡眠周期是最理想的。28（每晚睡上 6 小时）～30 个睡眠周期也比较理想。如果你睡得比计划中更少，也许会过于疲劳。

7.争取每周至少有 4 个晚上能获得理想的睡眠时间。

[ 04 ]

# 热身与舒缓

——

## 睡眠前后的例行程序

你度过了漫长的一天。忙完了工作后，和几个同事吃了点夜宵、喝了几杯酒，到家时已经快 11 点了。你踢下鞋子，脱了衣服，衣服在地板上乱糟糟地堆成一团。你在洗手间刺眼的光线下，匆匆刷了牙，终于走向卧室，钻进被窝，躺在你的伴侣身边。你的伴侣醒了片刻，翻了个身，又睡着了。你吃饱喝足、疲乏困倦，在打车回家的路上一直在想快点上床睡觉，闭上了眼睛，渐渐睡着了……

你突然惊醒了，脑袋中满是吃夜宵时的那些对话。同事说的那些话，究竟是什么意思呢？在谈到办公室的其他同事时，是否有点太缺乏职业道德了，甚至有那么一点粗鲁？

现在你彻底清醒了，开始想别的事情：能按时完成现在在做的项目吗？难道又要拖后腿了？如果那样别人会怎么想？

你的心脏扑通乱跳，你的老朋友——消化不良——又找上你了，都是一小时前才吃下的夜宵惹的祸。你有点痉挛，不太舒服。该起床吗？还是该继续躺在床上？你快要崩溃了——为什么就不能睡个好觉呢？

## - 睡觉前和醒来后 -

如果我在11点前后回家——鉴于我的起床时间是早上6点半，如果想获得5个睡眠周期，那么11点正是理想入睡时间，但我绝不会进屋刷个牙后就倒在床上睡觉。相反，我会等到下一个睡眠周期开始——凌晨12点半时——再入睡，并在这个晚上争取获得4个睡眠周期。否则，我该如何安排睡眠前的例行程序呢？

"不做好准备，就准备好失败"，这句话也适用于睡眠前后的准备阶段。睡觉前的行为会直接影响睡眠质量和持续时间，而醒来后的行为会对新的一天（以及第二天晚上）产生重大影响。

根据R90方案，我们认为睡觉前和醒来后的时段，和实际睡着的时段同等重要。事实上，这两个时段更加重要，因为你可以直接掌控它们。从现在起，我们不再把那些90分钟时长的睡眠周期仅仅看成花在睡眠上的时间片段，而把它们看成是清醒的一天的组成部分。在理想状态下，你需要90分钟的睡眠前适应时间和同等时长的睡眠后适应时间。

从这个角度来看，4个睡眠周期组成的睡眠，并不仅仅包括6个小时的夜间睡眠，而是一个由9个小时组成的修复过程。这并不是说，你需要在每天晚上和早上特意留出90分钟的空白，无所事事地干等着睡觉，或者干等着一天的开始，而是意味着无论你在做什么事，试着放慢速度，将那些于事无补、反而会影响睡眠或影响迎接新一天的挑战的种种因素暂时搁置一旁，并引入一些更符合昼夜节律和睡眠类型的东西。

## - 睡觉之前 -

你的睡眠前例行程序，指的是为了确保你进入准备入睡的状态而进行的一系列准备工作。做这些准备工作，是让你能顺利开始你的第一个睡眠周期，然后随着夜晚的流逝，无缝地过渡到之后的一个个睡眠周期，从而获得所需要的足量的浅睡眠、深睡眠和快速眼动睡眠。

天空车队的自行车手在临近比赛日期时，会根据边际增益原理，做出一些调整。与此类似，当我们慢慢进入睡眠状态——在睡前好几个小时，就会逐渐受到这种状态的影响——之前，我们需要把那些影响睡眠的事情暂时抛开。

如果你吃得很晚，就不应该马上上床睡觉，必须先消除饱食对睡眠的影响。胃里堆满食物、忙着消化将会影响你的昼夜节律（根据昼夜节律，你的大脑原本会从晚上9点或10点开始，抑制肠道的活动），从而影响睡眠质量。尽管酒精会带来昏昏欲睡的感觉，但是如果摄入过量，将会影响我们的睡眠质量。如果你和同事谈到了工作方面的棘手问题，就不太可能一上床就立刻停止思考这些问题。这就是你需要睡眠前例行程序的原因。

在一个普通的居家之夜，如果我计划在晚上11点入睡，就会在9点半开始做准备。当然，不会有什么戏剧化的情节发生——我可不会突然从椅子上跳起来，然后大喊"让我们进入睡前程序！"但是我自己心中有数。如果感到有点饿，就会再吃一点儿零食。我需要再喝一些水——这是当晚最后一次喝水了，这样才不会在半夜渴醒。我可不想半夜起来上厕所，所以还会排空膀胱。

睡前的准备工作，并不仅仅包括在上床之前料理好这些似乎显而易见的身体功能。为了做好充足的入睡准备，我们还有许多事情要做。

## 关闭电子产品

在睡觉前提前关闭电脑、平板电脑、智能手机和电视机，能减少你暴露在这些设备发出的蓝光下的时间。对于那些睡前离不开这些设备的人来说，诸如f.lux软件和苹果手机操作系统的夜光模式，能让这些设备的色温变得温暖一些，并减少蓝光量。但这并不能解决睡觉前使用高新技术产品的其他问题——它们会影响我们的压力水平，并让头脑过于清醒。

如果你在睡前回复电子邮件和短消息，就有可能让自己暴露在压力环境之中。上床前15分钟收到的短消息，有可能会让自己在睡觉前思前想后、辗转难眠。而当你发出消息后、收到回复前，也同样有可能会在等待中难以入睡，这样的事更加在你的控制范围之外了。

如果我们对电邮和短消息实行宵禁，就至少能利用睡前的 90 分钟应对任何潜在的压力。如果你是那种发出消息后会苦苦等待回复的人，可以把短消息先拟好，然后等到第二天早晨再发送，就像粘上邮票、准备寄送一样。这样做的话，是否联系别人、是否能让别人联系到你，就尽在掌控之中。这就像在告诉别人，晚上 10 点后，你不一定能及时回复电子邮件。

当然，如果是亲友发来的短消息，那情况就不一样了。如果你正刚刚开始一段新的恋情，基本不可能在睡前 1 个半小时远离手机，因为有可能会收到恋人发来的短消息。谁知道你会错过什么机会？但是，你可以关掉笔记本、平板电脑和类似的设备，停止收发工作邮件，不躺在床上使用高清音质的平板电视机，观看场面火爆的动作片或玩射击视频游戏。简而言之，在这一阶段减少电子产品的使用，将是一个良好的开始。

一部分人已经非常擅长这样做了。我看到越来越多的人在电邮签名和不在岗回复中注明"我每天只查看三次电邮"，或注明他们并非全天候查收电邮。对他们来说，睡前关闭技术产品很容易。但对其他人来说，仅仅给自己下个命令是不够的。如果你不知道该如何做，你又如何能做到呢？

如果你能了解在整个白天大约多久查看一次电子设备，并且出于何种原因查看这些设备（包括短消息、电子邮件、新消息、社交媒体——无论是否与工作相关），那么就向前迈进了一大步。据苹果公司透露，苹果手机的使用者平均每天解锁手机 80 次，听上去似乎多了点，但如果开始注意你多久解锁一次手机，就发现自己也好不到哪儿去。大多数人至少会在每次收到新消息时解锁手机。

如果我们试着在白天找到一段空闲时间，暂时离开电子设备一会儿，并做一些让自己心情舒畅的事情，就能试着控制这种行为。在锻炼时，把手机放在一边——游泳是一个特别棒的选择，因为就连那些完全离不开智能手机的人，也不想把他们的手机弄湿，但你也可以选择去健身房或出去散个步——锻炼大有裨益，你在犒劳身体和心灵，并从不断回复各种消息的状态中解脱出来。

并非只有锻炼才能助你达到目的。在上班途中，你完全可以放下手机，拿起一本书，或者在和同事或朋友外出午餐时把手机锁在抽屉里。这些方法都能让你的大脑将愉悦感和暂时脱离电子设备挂钩。

等你习惯这样做后，就能更自然而然地让它成为睡眠前例行程序，这样做本身对身心也是一种犒劳。并且，还要确保在睡觉时将手机关机。

当然，在这一阶段，我们也可以利用一些助眠的应用软件。

许多正念应用软件和冥想应用软件能帮助我们在睡前放松心情。如果它们对你有用，就继续使用（如果条件允许，最好能在使用之后将这些设备移出卧室）。

## 从温暖到凉爽

身在第 1 章中的那个海岛上时，日落之后气温下降，我们开始准备睡觉。作为昼夜节律的组成部分，我们的体温自然而然地会在夜间下降，但中央供暖这样的东西却会干扰这一过程。我们可以通过一些捷径，在家中克服这一干扰，并和生理冲动接轨。

首先——尽管这点似乎显而易见，确保你的羽绒被既不太暖，也不太冷。也许你觉得躺在温暖的床铺中很舒服，但一旦体温开始生效，被子就会过热，你很可能会大量出汗，你的睡眠周期很可能会因此而被打断。把腿伸出羽绒被外也许有点儿用，但这需要动用你的意识，所以睡眠最终会被打断。同样，不要使用热水袋和电热毯，除非卧室特别寒冷刺骨，难以忍受，或者你对温度特别敏感。

让卧室保持凉爽（不是寒冷）非常关键。在冬季，你可以在睡前关掉卧室的取暖器或空调，冲一个温水澡（不是热水澡），让体温升高一两摄氏度，这样当你钻进更加凉爽的被窝中时，就能更好地适应从白天到夜间的温度变化。

在夏季，白天拉上窗帘或百叶窗，并保持房间通风，能让卧室比家中其他地方低那么一两摄氏度。只盖被单或被套（把里面的被子抽掉）会比较舒服。在特别炎热的日子里，有空调的家庭可以在睡前一段时间开空调给房间降温，没有空调的家庭可以把一瓶冰水放在电扇前，让电扇吹冰水，达到降温目的。

有些人习惯在睡前淋浴，发现这样能够助眠，那是因为干干净净地上床睡觉会让他们觉得更加舒服。但是你不必大洗特洗，快速冲个澡也能奏效。和本章中的其他建议一样，我们提出的建议，是为了帮你找到最适合你的方法。


## 从明亮到昏暗

体内的生物钟会对从明亮到昏暗的转变做出反应。在昏暗环境中，体内开始分泌褪黑素，然后我们就会睡意蒙眬。但是，周围的许多东西却会在睡前干扰着我们的生物钟，像早已提过的那些电子产品。但除此之外，还有不少需要改进的地方。

在你进入睡前准备阶段时，让一切暗淡下来是一个不错的主意。关掉卧室中的主光源，打开使用暖色灯泡的灯具，红色或者琥珀色的灯光相对没有那么刺眼，对你的影响也比蓝光小得多。或者，你也可以在起居室和卧室中点上蜡烛，提供环境照明。可是，如果睡前在卫生间刺眼的荧光灯下刷牙，那么很可能就前功尽弃了。一个办法是提早刷牙，另一个办法是，把卫生间的灯泡换成不那么刺眼的，或者点支蜡烛怎么样？每晚站在伴侣身旁，在刺眼的光线下对着镜子默默刷牙，简直就像一个反复出现的睡前噩梦，而点支蜡烛就有可能结束这样的噩梦。烛光晚餐也许并不浪漫，但烛光下刷牙，却能给这一原本单调乏味的睡前程序增加一点特别的气氛，而且这样做说不定还能帮助你尽快入睡。

你可以营造一个昏暗或一片漆黑的睡眠环境，以配合你的生理节律。我们大多数人的卧室中，都或多或少存在一些人为的干扰因素，特别是生活在城镇中。因此，应该确保你的窗帘或百叶窗质量优良，能完全遮挡外部光线。这就意味着，不要让窗帘之间存在缝隙导致漏光。如果有必要，你可以购买完全遮光的百叶窗。在跟随职业自行车队参加比赛时，为了遮光，我有时会用黑色垃圾袋封住选手所住房间的窗户。

如果你想在睡前看一会儿书，可以考虑在卧室外面看书，这样就能实现从明亮环境（看书的房间）到昏暗卧室环境的完美转移。如果躺在床上看书，有可能会导致整晚辗转难眠，还不如走到房间外面看书，看完书后关灯离开那个房间，回到昏暗的卧室中，准备睡觉。模拟日出自然唤醒灯能实现从明亮向昏暗的过渡，你也可以利用这样的灯具。

## 让一切各得其所

我们一再强调，在你的睡前程序中，应该包括不再看电视、使用智能手机和笔记本电脑。因此，你很可能会想："那么我还能干什么呢？"

现在是整理物品的好时机。我并不是说，把你的屋子翻个底朝天，收拾得既时髦又漂亮，而是对环境略加整理。这样当你进入睡眠状态或准备入睡时，就不需要让那些琐碎小事塞满大脑，比如想着明早要整理行装，上班时要带上那些需要干洗的衣服，或突然想起没有袋泡茶了。晚上那些琐事会一桩桩地在脑海中出现，这简直让人难以置信。

你也可以做一些简单、和缓的第二天的准备工作，这样既不会无聊，也能给大脑留下一些空间。比如，熨烫衣服、把衣服挂起来；整理生活环境，拿出垃圾，把有关物品放在明早方便取用的地方。如果你没有那么爱好整洁，也不必担心——你完全可以把衣服扔在椅子上，把包丢在门边的地上，只要不会落下就好。让一切各得其所（对你而言）就行。

现在也是一个洗碗的好时机，现在洗比明早洗好。洗碗是一个简单的任务，不需要用什么心思或者什么力气，而且当你上床时，厨房已经收拾干净了。无论你是否意识到，晚上要挂念的事情就这样又少了一件。如果为了方便，或者考虑到晚上电费便宜，习惯在夜间插上洗衣机或洗碗机，不妨再考虑一下。也许你入睡时并没有听到洗衣机或洗碗机的噪声，可是万一睡到半夜醒了怎么办？半夜三更，万籁俱寂，你是否听到了那个讨厌的噪声？如果洗衣机或洗碗机离你的卧室还不够远，不至于毫无声息、对你毫无影响，你可以考虑换个时间使用这些设备。

利用这段时间，准备一下明天的生活必需品，能放空你的大脑，为入睡做好准备。而且，如果你把日常小事都处理完毕了，就有时间去想那些更重要的事情了。

## "下载" 你的一天

破坏睡眠周期的一大干扰，就是各种杂乱思绪：回顾过往，担忧明天。在英国，约有82%的人抱怨，在他们人生中的某个时间节点，这样的忧思杂念总会打断他们的睡眠。[1]在入睡之前减少电子设备的使用，有利于避免产生新的焦虑，但却无助于应对已经存在的麻烦。

我们生命中的每一天，都是由无数个瞬间积累而成的——和同事的一次交谈，坐列车上下班，和朋友共进午餐，在工作中使用一种新的软件，看着窗外做一会儿白日梦——你的大脑必须一一消化这些。事实上，科学家们认为，人类需要睡眠的一大关键原因，就是睡眠能加工我们的各种经历，把它们转化成记忆，并且巩固那些已经习得的技能。[2]

我们可以通过"下载"我们的一天，帮助大脑履行这一功能。可以把一天中的各种经历分门别类进行归档，便于大脑在睡眠时消化它们。刚才提到的那些简单工作，能够帮助我们这样做。此外，我们还可以将这些方法融入睡眠前例行程序之中，从而达到同样的目的。一些人发现，冥想和呼吸练习非常管用。如果这样做能帮助你"下载"你的一天，就应该将这些活动列入你的睡眠前例行程序之中。

我觉得这样做很有效果：拿出纸笔，列一份"我在想什么"清单，把当天所有想法、担心和关心的一切都写下来。这并不是一份真正的"待办事项清单"——那份清单万无一失地保存在云盘的日历中。这是一份更加私密的清单。如果在想生意上的事情，我也许会记上一笔，明早要打电话给那个客户；如果恋人的生日或者母亲节即将到来，我也许会画一束花，给自己提个醒。我只是随手在这张纸上涂涂画画，非常放松，非常随意，可以在睡前随便找个空闲时间，这样写写画画。接着，我会把这张纸放在房门钥匙边，或者放在别的第二天不会落下的东西的旁边，这样就不会忘了它。

把所有这些都写在纸上意味着，我会在上床睡觉的时候知道自己已经神志清醒地处理了目前的所有问题，可以没有负担地上床休息。我相信，睡眠时我的大脑会处理好这一切。

## 安全保证

睡眠是一天之中最容易受到攻击的时机，因此我们需要足够的安全保证。关上所有的门窗——或者再检查一遍所有门窗是否都已关好，能增强我们的安全感。而且，就像"下载"我们的一天一样，这样做有助于消除那些无益于睡眠的想法，比如，"我是不是忘记关上卫生间的窗户了"。

## 睡前运动

睡前应该避免剧烈运动（当然，性爱除外，下文中还会提到）。剧烈运动会让我们的心率、体温和肾上腺素水平上升。此外，不少健身房中刺耳炫目的光线、震耳欲聋的音乐，也离坐在火炉边的二人世界相去甚远。但定量的轻微运动——睡前在小区附近散散步、练练瑜伽（比如拜日式瑜伽）、在静止的自行车上踩上几圈或做一些伸展练习，都有助于睡眠。这些轻微运动还能让体温上升，让你上床时能实现从温暖到凉爽的顺利过渡。

## 用鼻呼吸的睡眠

在大多数人看来，呼吸比睡眠更加顺理成章。但是，如果我们希望能不受干扰地实现各个睡眠周期之间的无缝过渡，那么懂得如何在睡眠时进行呼吸，就显得非常重要了。常见的睡眠呼吸障碍包括打鼾和睡眠呼吸暂停。睡眠呼吸暂停患者会在夜间睡眠时反复多次地出现呼吸停止。每当这种情况发生时，大脑就会发出缺氧信号，把他们从睡梦中唤醒（第二天早上，患者甚至完全想不起这样的情形，往往是他们的伴侣首先注意到了异样），从而严重干扰到睡眠，并打扰了他们的伴侣。所有这些问题可归因于呼吸不畅。

帕特里克·麦基翁在他的大作《氧气的好处》——一本关于用鼻子进行呼吸的权威著作——中写道："事实证明，通过口腔呼吸将大幅提高打鼾和睡眠呼吸暂停症的发生率……就连小孩也知道，鼻子是用来呼吸的，嘴巴是用来吃饭的。"

用鼻子呼吸听上去很简单，并且这样做对健康的确大有好处，但关键是夜间睡眠时，我们究竟是如何呼吸的。如果一觉醒来时口干舌燥，或者几乎总要带着一杯水上床，就说明你睡觉时是用嘴巴呼吸的。如果醒来时口腔仍然是湿润的，那就说明你睡觉时是用鼻子呼吸的。那么我们如何才能干预这样一些在睡眠时自动发生的事情呢？

如果你曾见过有的自行车手或跑步选手比赛时，鼻子上贴着一块胶布一样的东西，就已经见过解决办法了。作为睡眠前例行程序的一部分，你可以把鼻舒乐鼻贴在你的鼻子上，它有助于扩张鼻腔通道，鼓励人们通过鼻腔进行呼吸。更先进的产品已经开始流行，比如 Rhinomed 公司的 Turbine 或 Mute 产品，它们会深入到鼻子中，从而打开鼻腔呼吸道。越来越多的运动员已经开始使用这些产品了。至于你睡觉时想用哪种产品，取决于你的个人喜好。我们的建议是，在睡觉前，先使用它们呼吸一段时间，适应一下这个产品。你也可以在其他时间试用这些产品——上班的路上、工作室、在健身房锻炼时以及各种其他机会，习惯于用鼻子呼吸。

帕特里克·麦基翁走得更远：他会贴上鼻舒乐鼻贴，然后用轻薄、低过敏性的医用胶带封上自己的嘴巴，确保自己在夜间通过鼻子进行呼吸。在采用这一方法之后，帕特里克的睡眠质量获得了大幅提升，他也向他的客户们推荐这一方法——当他们明白，这样做不会让他们在睡梦中窒息后，他们也都愿意一试（这种方法非常安全）。一种叫作 Sleep Q+ 的产品——RispiraCorp 公司的罗布·戴维斯（Rob Davies）发明的一种唇部密封胶，会轻轻封住唇部，促使人体在夜间用鼻呼吸，这一产品有望给这一领域带来革新。

## - 睡醒之后 -

如果说，睡前你做的一切都是为了让自己做好充足准备，获得最高质量的睡眠，那么睡眠后的例行程序则是为了确保所有花在睡眠前例行程序和随后的睡眠上的时间，都没有白白浪费。一套合理的睡眠后例行程序，能帮助你实现从睡眠状态到清醒状态的完美过渡，让你能积极地掌控你的一天，甚至还能让你在下一个晚上，在最佳状态中上床睡觉。

同样，在早上留出 90 分钟，似乎太奢侈了，但这 90 分钟其实可以包括你上班路上的时间。当然，睡眠后例行程序始于你固定的起床时间，也就是 R90 方案的铁锚。但是现代生活中的种种玩意儿，给我们的生理需要带来了诸多障碍。

## 电子产品的回归

如果一名职业运动员醒来后立即查看他的手机，看到了一条他不爱看的推特，然后在不够清醒也不够理智的状态下，怒气冲冲地回复这条推特，那么他很可能是在自找麻烦，并浪费一天的时间来处理这个麻烦。此外，在第二天早上醒来时，他很可能发现，关于他的负面新闻已经在各大报刊上满天飞。

我不会在刚刚睡醒的时候，就匆匆查看手机上的通知和消息，因为我知道此刻的状态欠佳，无法妥善地处理问题。你不会在喝醉时回消息，对不对？刚醒来时，我们有点不在状态，并且在刚刚醒来后的一段时间内，皮质醇水平是最高的。皮质醇是我们面临压力后，身体分泌的一种激素。我们没必要让它进一步飙升，然后一整天保持这样一个高水平，从而彻底打乱生理节律。总之，没必要在醒来之后的瞬间，就让自己背负上重重压力。

所以，在理想状态下，我们该坚持整晚把手机放在卧室外面。买一个标准的闹钟，或者一个模拟日出自然唤醒灯，后者更佳。让闹钟或唤醒灯叫醒你。这样你在大清早做的第一件事，就完全符合你的昼夜节律。接着，你应该拉开窗帘或百叶窗，让日光照射到房间内。这样做能让你快速清醒，并帮助设定体内的生物钟，实现从分泌褪黑素到分泌血清素的转变。在这一系列动作之后，我们的状态已经比几分钟前好多了，此时更适合处理手机中的那些待办事项。

在理想状态下，此时此刻，你仍然该把手机和别的电子设备放在一旁，等补充过水分和营养后再做处理。如果做不到的话，至少应该确保处理这些消息，并不是你早上醒来后做的第一件事。和入睡前一样，训练自己养成好习惯，在早上远离电子设备一会儿。比如，你可以在手机上设一个闹钟，让手机在 15 分钟后响铃，在铃响之前，不要去碰手机。对一部分人来说，要求他们在早起后 90 分钟内不碰手机，的确是要求太高了，但即便是 15 分钟内不碰手机，也比马上拿起手机好得多。15 分钟后，你就快要完全清醒了。

**丰盛的早餐**

一日三餐中，早餐最重要，这是老生常谈。一些习惯不吃早饭的晚睡星人听到这句话，很可能会翻翻白眼。让我换一个方式来说吧：曾经接受我的培训的运动员中，没有一个不吃早餐的，无论他们的睡眠类型属于哪一种。如果不吃早餐，他们将完全无法应付其他的事。

吃早餐能给我们提供开始新的一天所必需的能量。如果昨天的晚饭是在晚上 8 点吃的，今天是在早上 7 点醒来的，那么你已经足足 11 个小时没有进食了。如果醒来时没有感到饥饿，那么你该试着在随后的 90 分钟内，多少吃点儿什么，即便只吃一点儿，比如吃几口吐司、喝几口牛奶果汁混合饮料或者吃一点儿水果。如果每天坚持这样做，那么你很快就会发现，早上你能吃下整片吐司或者一大块儿水果，并且喝下了最后一滴牛奶果汁混合饮料。

吃早餐能给我们带来一天的能量，还能让我们在之后的午餐时分和晚餐时分饥肠辘辘。换句话说，我们会在合适的时间感到饥饿，而不是在不合适的时间总想着吃零食。吃零食百害而无一利，并且让人感到疲倦乏力、精神懈怠。

吃早饭并不需要你花费太多时间：吐司、麦片和水果都非常容易准备，吃起来也很快。你也需要饮用一些液体，给自己补充水分。如果有时间和条件，并且天气不错，你可以在户外享用早餐，或者在一个洒满阳光的房间里享用早餐，让阳光继续唤醒大脑和身体。如果是在天色暗沉的隆冬时节，你可以打开一盏日光灯，让它伴你享用早餐，而不是在厨房的荧光灯下吃早餐。早上匆匆忙忙地咽下早餐，甚至连窗帘都没来得及拉开，就匆忙忙忙地赶着上班，是许多人都容易犯的错误。

以一杯茶或一杯咖啡开启新的一天，是许多人的最爱。如果适度的话，这也不失为一项完美的、可接受的睡眠后例行程序。我们会在体育比赛时摄入咖啡因，因为咖啡因是一种效果极佳的表现增强剂，但用量非常谨慎。如果醒来之后就摄入大量咖啡因，那么会对一天摄入量的上限 400 毫克形成直接威胁。如果你愿意，沐浴在阳光下、补充水分和营养，都能帮助你的身体及时醒来，也不会让你在当天晚些时候感到困倦。记住，睡眠质量和你醒来后所做的一切密切相关。


**锻炼**


锻炼也是一项极佳的睡眠后例行程序。有些人非常推崇清晨跑步、游泳或在上班前去健身房锻炼，但其实不必非得选择这样剧烈的运动。散一会儿步，练一练轻瑜伽或普拉提，让你的身体慢慢适应新的一天。也可以选择步行或骑自行车上班，如果你够幸运，可以这样选择的话。这些都是度过睡眠后 90 分钟的好办法。

如果能在户外锻炼就更好了，你将受益多多：阳光会把你唤醒，促进血清素水平的上升，调节你的生物钟。这样的睡眠后活动，不仅能让你在夜间睡得更香，也能让你拥有一个更美好的白天。随着工作习惯的改变，我们社会中的在家工作者越来越多（据报告，2014 年英国境内在家工作者的人数为 420 万，占职员总数的 13.9%；而 1998 年这一人数仅为 270 万）[3]。对于这些在家工作的人来说，到户外好好走走、呼吸一下新鲜空气、沐浴在阳光下，是一项极佳的睡眠后、工作前例行程序。

**适度的脑力挑战**

在早上，应该循序渐进地把你的大脑慢慢发动起来。因此，一些锻炼脑力的简单行为，比如听听广播、熨烫衬衣或做一些别的家务，都能够帮上忙。在上班路上看看书报新闻或听听播客，都是开始新的一天、再度融入这个世界的好办法。

**睡眠类型**

可想而知，睡眠类型在很大程度上影响着早晨的状态。对晚睡星人来说，睡眠后例行程序更加重要。这是因为，早起星人醒来前的最后一个睡眠周期相对较浅，因此早上是他们状态最佳的时候。晚睡星人用在睡眠后例行程序上的时间越接近 90 分钟，对他们越有利，尽管这似乎违反直觉，因为本来他们可以利用这段时间在床上多睡一会儿。要注意那些和你睡眠类型不同的同事，别让他们搞砸了你的上午，同时你又搞砸了他们的下午，或是相反。在办公桌上放一盏日光灯，可以略加补救。

### 偷懒假

如果你偏爱在休假日睡懒觉，那么当你因为工作繁忙经历了特别艰难的一周（或一个加班到深夜的晚上）之后，在那个你很想抱着电视机、休个偷懒假的早上，R90 方案中的固定起床时间很可能就成了第一个牺牲品。但其实没有必要——你仍然可以将这些例行程序融入你的生活中，与生物钟保持协调一致。

你仍然应该设好闹钟，并在固定的起床时间起床，然后完成一些简单的、尚能完成的睡眠后例行程序。也许你可以略去体育锻炼，但仍然可以在醒来后马上上个洗手间、沐浴一下阳光，并慢慢享用早餐，然后回到床上继续休息。这样的话，你做了你能做的事，并和你的昼夜节律保持了一致；同时，你也做了你想做的事——你没有做出太大的牺牲，也没有为了坚持 R90 方案而剥夺了生活的乐趣。即便是那些职业运动员，也会有这样的日子

（当然，通常是在一次比赛之后）。此外，有的时候，没有什么比窝在被子里来一场电影马拉松[1]更好——只要我们能够掌控它，不让它给我们的自然节奏带来太大的干扰。尽可能地只把卧室当成睡觉休息的地方，是非常重要的一点。

## - 高效睡眠 -

我们无法掌控睡觉时的举动，但却能够掌控睡眠前和睡眠后的一切举动。让睡眠前后的例行程序融入日常生活之中，在一开始似乎并不容易，特别是在时间本来就很紧张的时候。但是，只要对日程安排做出一些小小的改动，做到这些其实并不困难。

这样做的好处可以用一个词概括：高效。睡眠前例行程序能让我们准备好进入一个个睡眠周期，从而能够通过睡眠获得最佳的修复，哪怕睡眠时间实际上缩短了。它给我们带来了自由和灵活，可以按照需求晚一点儿睡觉；让我们充满自信，明白能"下载"自己的白天，并尽己所能驱除那些徘徊不去、有害无益的想法，这样就不会辗转难眠、徒然浪费宝贵时间。

而睡眠后例行程序能让我们在新的一天更有效率。尽管完成这一系列程序，需要花一点儿时间，但随后投入到工作中或社交

---

1　在一段时间内连续观看多部电影，就像跑马拉松一样。

中去时能更加清醒、更加从容。因此，我们最大化地利用了这些例行程序，可以头脑清醒地参加早上9点的约见，而不必匆匆忙忙疲于奔命并且喝下大量咖啡。

随着将这一系列睡眠后例行程序纳入每天的日程，我们会逐渐发现自己完全可以坚持下去。如果你固定的起床时间是早上7点半，那么当有人提出8点半约见时，你可以礼貌地建议改成9点，这样你就有90分钟的时间进行准备。如果对方不愿让步，那么60分钟的起床后准备时间也勉强可以接受。但是再少的话——比如8点约见，你的准备时间就太短了，会措手不及。如果真的遇到这种情况，你就只能减少整整一个睡眠周期，在6点起床。这些决定也会随后渗透到你生活中的其他方面。

如果你要赶飞机，得在清晨开车去机场，你就该做出选择了。你可以跳下床，穿上衣服，开车到机场，也可以做出特别的选择，将起床时间提前一个睡眠周期（从7点半提前到6点）。如果选择了后者，你更可能把车速控制在最高车速之内，因为你没有那么心急火燎，而且头脑也更加清醒，尽管起床时间早了些。你已经补充了营养和水分，上过了厕所，锻炼过身体、沐浴过阳光（无论是照射自然的阳光，还是在日光灯下沐浴日光），你的身体想要先做这些事再上车，而不是直接跳上车，驱车狂奔。在机场接到朋友后，你能更自如地和他交谈。如果你到达机场时，觉得有什么地方让你不太满意——比如有个包裹没人照管，你能对此做出更明智的决定，更好地处理它们。

在体育竞技场中，这些决定能够带来一些实时的微弱优势——比如跑快了千分之二秒。对于一个要在早晨比赛的晚睡型短跑选手来说，早上他的状态并不太好，是否进行一系列睡眠后例行程序，将会带来获得铜牌和名列第四的区别，而第四名就与奖牌失之交臂了。如果两名运动员原本不相上下，但其中一个清醒地知道在训练时不能把自己逼得太紧，而他的竞争对手由于缺乏行之有效的睡眠后例行程序，结果扭伤了小腿，那么他们的较量在站在起跑线上的那一刻，就已经结束了。

**睡眠前后的例行程序：智慧睡眠的 7 个要点**

1. 睡眠前后的例行程序将直接影响你睡眠的质量，以及你清醒的一天：如果予以重视，整个白天和整个晚上就会更加高效。

2. 在日间偶尔脱离电子设备，将此作为一种犒劳，并通过这种方式训练你的身体和心灵。

3. 对于晚睡星人来说，睡眠后例行程序至关重要，如果他们不想输给早起星人的话。不要因为青睐于止闹按钮，而轻易放弃这些睡眠后例行程序。

4. 不要在头脑不清醒的时候发送消息！先让自己清醒一点，再去拿手机。

5. 让你的身体感受从温暖到凉爽的变化，有利于带来自然的体温下降。快速洗个温水浴，然后选择较凉爽的睡眠环境，能帮助你达到目的。

6. 在上床前整理你的卧室，放空你的大脑，"下载"你的一天，就不会在该睡觉的时候想东想西、难以入眠。

7. 执行睡眠前例行程序，是为了结束过去的一天——用鼻子呼吸、放松心情、实现从明亮到昏暗的过渡。执行睡眠后例行程序，是为了开启不匆不忙的新一天。这两段时间都只属于你，不属于别人。

[ 05 ]

# 暂停片刻，该休息了！

——

## 日间小睡

欢迎你来参加周五下午的餐后会议。阳光从半开半闭的百叶窗中斜射进来，暖洋洋的，半空中，无数小小的尘埃在那一缕阳光中舞动。午餐时吃下的比萨饼还在你的胃里胀鼓鼓的，你认真听着发言人结合幻灯片作报告，投影仪在慢慢旋转着。你的眼皮越来越沉重……

咳！你突然醒了。你睡着多久了？你环顾四周，看看是否有同事对你投来不满的目光、有没有人在强忍讥笑。但你发现，所有的眼睛都看着发言人。你松了一口气。还好，我一定才睡着了几秒钟。

你成功逃过了一劫，但现在你必须打起精神了。你转过头去，看着发言人，从桌上拿起笔，竭尽全力不让自己再失去意识，你真的尽了全力。

但是，你竟然又睡了过去。

# - 午后倦怠 -

有的人称它为"午后倦怠期",有人称它为"员工消沉期"。无论你怎么称呼它,午后的这段时光是人体在白天最倦怠疲乏的时候。西班牙人通常会在这段时间午睡,而在世界上的其他地方,人们会开一些没有什么成效的会议,或者狂喝咖啡,撑过这段时间。在全球各地,无论是在家中还是在工作场所,午后倦怠的现象都非常普遍。如你所知,这也是重新定义"睡眠"的一大关键。

到目前为止,我们的R90方案,只谈到了一些有关夜间睡眠的方法,但如果你希望能和我训练的那些职业运动员一样,真正掌握睡眠的诀窍,也得学会解锁白天的时间。从现在开始,我们要学会不再只把睡眠当成睡眠,而把它看成是一个身心修复的过程。

身心的修复,应该是一个一周7天、一天24小时全天候不间断的过程。如果能在充分利用好夜间睡眠的同时,也利用好白天的时间,就能给身体和心灵带来一个不断重新启动的机会,帮助你满足现代社会的各种需求。

让我们从午后时光说起。午后时光是一天中次优的天然身心修复时段。如果夜间缺失了一个睡眠周期,午后就是最佳的弥补时机。这一时机不仅时间上最长,而且效率上最高。如果当天晚上你有可能会晚睡,不妨利用午后时光,提前做好准备。充分利用好午后时光，使之配合夜间的睡眠周期，成为我们每周睡眠——清醒常规程序的一个组成部分。通过利用这段时间午睡一会儿，我们就能继续最大化利用白天的每个小时，并让自己发挥出最佳状态。

如果你无法在白天小睡一会儿，也不必烦恼。正如你所知，日间小睡向来是睡眠的有机组成部分。在体育界，我们并不称之为打瞌睡，而称之为可控修复期。我们并不是不加选择地随意打瞌睡，而是主动掌控并利用白天的各个机会，力争从中获取最大收益，正如一流企业的首席执行官以及艺术圈和娱乐圈那些颇具盛名的成功人士一样。你完全可以实现这一可控修复期，即便你以为自己无法在白天睡眠。因为，任何人都能学会如何利用可控修复期，大家都不妨学一学。

## - 当睡眠冲动和睡眠需求产生冲突 -

纵观历史，嗜好午睡的名人比比皆是：温斯顿·丘吉尔、拿破仑·波拿巴、比尔·克林顿。并且，在世界各地的不少国家中，人们至今仍然保持着午睡的习惯，除了西班牙之外，还包括地中海沿岸地区、热带地区及亚热带地区的各个国家。如果我们观察一下那些尚存于世的采集狩猎部落——这是了解数千年前人们如何生活的最直接、最便捷的方法了，而且这样做，显然比我们自己前往无人岛屿重新生活并重新发现自我要容易得多——就会发现，多相睡眠对他们来说是一种生活常规。美国埃默里大学的人类学教授卡罗尔·沃斯曼，一直潜心研究博茨瓦纳、民主刚果、巴拉圭、印度尼西亚等地区的各个部落。据他报告，"他们的睡眠时间并不是固定的。他们想睡就睡——无论是在白天、傍晚还是深夜。"[1]

我们体内的内在睡眠调节模式表明，多相睡眠（多阶段睡眠）是极其自然的。我们在昼夜节律一节中谈到，我们的睡眠如何受到昼夜节律的调控，引发睡眠冲动，逐渐积累睡眠压力，形成睡眠需求。我们最主要的睡眠时机是夜间。在夜间，由昼夜节律引发的睡眠冲动不断上升（并在凌晨2—3点达到高峰），与此同时睡眠需求也非常强烈。

但对于大多数人来说，在下午1—3点，一些有趣的事情发生了。对于晚睡星人来说，这一时段会相应推迟片刻。在这一时段，和预期的一样，我们的睡眠压力将逐步积累，而昼夜节律在经历了早晨的低谷后却急剧飙升，导致睡眠冲动水平出现上升。这时，随着白天的流逝，我们的睡眠需求也已变得非常强烈，第二个睡眠时机就这样产生了。

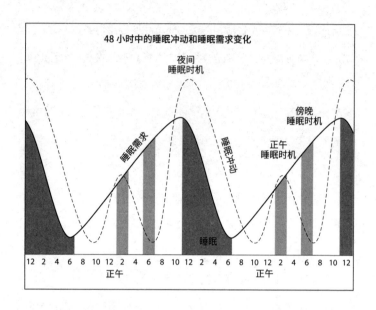

48 小时中的睡眠冲动和睡眠需求变化

夜间
睡眠时机

傍晚
睡眠时机

睡眠需求

正午
睡眠时机

睡眠冲动

睡眠

12 2 4 6 8 10 12 2 4 6 8 10 12 2 4 6 8 10 12 2 4 6 8 10 12

正午　　　　　　　　　　　　正午

　　午后睡眠时机是一个完美的机会，我们既可以利用这个时机，插入一个睡眠周期，也可以补充一个 30 分钟时长的可控修复期，这样做完全符合我们身体的冲动和需求。我在给一位运动员安排日程时，常常利用这段午后的时光，弥补他们晚上缺失的睡眠周期，可以是弥补前一天晚上缺失的睡眠周期，也可以预先为当天晚上做出一些弥补。在计算一周睡眠周期时，把午睡时光也算上——无论时长为 30 分钟还是 90 分钟，都可以计入一周的总睡眠时间之中。

## - 日间小睡的力量 -

日间小睡的力量不容小觑。德国杜塞尔多夫大学的一项研究表明，即便是非常短暂的日间小睡，也能增强大脑的记忆处理能力。[2] 美国国家航空航天局的一项调查专门研究了日间小睡的功效，在对执行长途飞行的飞行员进行调查后，他们得出结论："日间小睡有助于维持或改善随后的表现，提高生理和心理的灵敏度，并能有效改善情绪。"[3] 这份报告的作者之一、美国国家公路交通安全管理局的负责人马克·罗斯坎德（Mark Rosekind）曾说过，"26 分钟的日间小睡能让飞行员的表现提升 34%，灵敏度提高 54%。"[4]

对于飞行长程航线的飞行员来说，日间小睡至关重要。趁副驾驶接手时小睡一会儿，能大幅提高睡醒之后大脑的灵敏度。我们都希望在飞机降落时，飞行员处于最佳状态。

日间小睡也能让运动员的成绩获得显著提高。事实上，日间小睡能让所有人都受益。鉴于现代生活对我们提出的诸多要求，夜晚的睡眠常常是最先受到影响的，我们必须想方设法补救这个问题。并且，鉴于许多雇主仍然不太赞成日间小睡，我们必须想方设法，将可控修复期纳入我们自己的日程之中。

而优秀的运动员更有可能享受这一奢侈品。他们可以充分利用这段时间，获得一个时长 90 分钟的睡眠周期，因为身体修复对他们的工作来说是至关重要的，并且这点很容易获得别人的理解。一般来说，他们的经理不会去揣测他们怎么突然消失了，在消失的 90 分钟内他们去哪儿了。

90 分钟的睡眠周期有一个潜在的缺陷：睡眠惰性有可能会紧随其后而来。睡眠惰性表现为精神恍惚、走路摇摆不稳。在安排可控修复期的时间时，必须牢记这一点。如果一位奥运选手将在晚上参加比赛，他需要有充足的时间克服睡眠惰性，并充分享受睡眠带来的益处。如果他的参赛时间较早，我们会给他安排 30 分钟的日间小睡，或让他干脆别睡了。

对于我们其他人来说，30 分钟的日间小睡也许是最切合实际的。尽管一些研究表明，30 分钟的日间小睡也会产生睡眠惰性，因为在这段时间内，也极有可能进入深睡眠阶段。[5] 但根据我的经验来看，30 分钟的日间小睡几乎不会导致任何不良后果。如果你根据我训练运动员的方法来做，就不会出现任何问题。

我的方法是，让运动员在小睡前先摄入一些咖啡因——意大利浓缩咖啡就不错，见效快——咖啡因会在你的"可控修复期"快要结束时起作用。咖啡因会在摄入后约 20 分钟后作用于人体，而且如果用量适当，咖啡因是一种很有效的表现增强剂。试着不要随意饮用拿铁，因为你会发现，如果你喝拿铁，那么当你开始进入"可控修复期"时，咖啡因就已经起效了。此外，要注意你这一天中已摄入了多少咖啡因。如果已经临近每日 400 毫克的最高摄入量，就不要再喝下任何含咖啡因的饮料了。

在办公桌上放一盏日光灯，或者走到自然日光下，也能让睡眠惰性快速消失。这样你就能和那些听从美国国家航空航天局建议、每天小睡 26 分钟的人一样，尽情享受可控修复期的所有福利。

## - 怎样获得可控修复期 -

将午后小睡冠以"能量小睡"的美名，多少能为午后小睡改善一下声名。不少企业福利项目，都是以认可这样的短时修复性睡眠的功效为前提的。根据这些项目，企业会为员工们提供各种便利设施，让员工们能在下午"能量小睡"一会儿。这些设施有的相对比较简陋，有的则非常高端，就像开启了太空时代，甚至引入了鲸鱼的啸声和芳香精油。但事实上你根本不需要这些。

20 世纪 90 年代后期，当我和曼联合作时，俱乐部首次在赛季前实行一天两次训练。我建议他们在培训场地提供一些便利设施，让球员们能在两次训练之间放松一下，拥有一个"可控修复期"，从而更好地从第一次训练中休整过来，为第二次训练做好准备。亚历克斯·弗格森爵士和曼联的首席理疗师罗布·施怀尔都支持这个主意，于是我们引入了训练基地修复室，在当时很可能是全球首个。我们找了一个能容纳 12 名球员的合适房间，放了一些单人躺椅，并指导球员们如何使用它们。

我们的休息室非常简陋——没有鲸鱼的啸声，也没有芳香精油——但它奏效了。我们就这样迈出了睡眠修复的第一步，而球员们——他们组成了曼联乃至所有球队历史上最成功的球队之一——也开放地接受了日间睡眠这样激进的主张，并充分发挥了他们的优势。

事实上，我们可以在任何地方小睡片刻。大多数人都曾经在会议室或拥挤的列车中打过盹儿，如果在那种地方都睡得着，那么当然可以在一个更加可控的环境中试试。即便你的雇主并没有推出什么员工福利项目，你也能自己找个地方小睡片刻：一间空置的办公室或会议室、公共餐厅的某个安静角落、员工休息室的沙发上，甚至公园的长凳上——如果天气允许的话。日间小睡并不是夜间睡眠，因此如果找不到可以舒舒服服地躺下的地方的话，也可以坐着打个盹儿。据我所知，甚至还有人把自己反锁在洗手间的小隔间中午睡。还有那些飞行员，他们能在 35000 英尺的高空之上、时速超过 500 英里的飞机驾驶舱中打盹儿。

你也不必顾虑旁人。如果你深谙此道，他们甚至根本不知道你在做什么。但在讨论这个问题之前，让我们先来了解一下，在午后的某个时刻，你该如何找到一个能让你舒舒服服地休息一会儿的地方。如果你在家工作，千万不要上床午睡，可以倚靠在沙发上或者扶手椅上，把床留给夜间睡眠或一个完整的、90 分钟时长的午后睡眠周期。如有可能，把你的手机设置成"免打扰"，这样就不会被新消息到来时的提示音打扰，把闹钟调到 30 分钟之后——这是最理想的。如果你的时间有限，就按照时间安排设置闹钟。短暂的午睡同样对人体有益。

接着，请你闭上眼睛，放空一切。也许说起来容易，做起来难。你有可能会想事儿。但有的人能够马上睡着，并会在 10～20 分钟后自然醒来，或者被闹铃唤醒。而有的人则坚称，他们没法进行午睡，因为根本睡不着。这些人也许并不知道，其实睡不着也不要紧。

即使你并没有真正进入睡眠状态也没有关系。重要的是，你能利用这段时间闭上眼睛、脱离这个世界片刻。能够睡着固然很棒，但徘徊在似睡非睡、似醒非醒的蒙眬、迷糊的状态中，同样也很迷人。这就像一个美好的白日梦，你并没有认真在想什么，你的大脑处于一片混沌中。

有些方法能够帮助我们达到这种状态，比如冥想训练、正念应用等。它们能带你暂时离开现实世界。这样做能让我们摆脱现实世界中的紧张和压力，领先一步开始"下载"我们的一天，而这也是睡眠前例行程序的组成部分。随着显意识逐渐失去焦点，精力流向别处，我们就能将这一天中至此为止所发生的事件，依次消化并进行归档。

我们的大脑是一个非常强大的工具，能在受到训练后，完成各种了不起的任务。如果能够经常性地利用午睡进行休整，即便是那些坚称自己没法午睡的人，也会发现情况正在慢慢改善。当他们因为夜间睡眠周期不足导致午后更加疲惫时，有可能会发现自己竟然睡着了！哪怕只睡了短短的几分钟，也足以让我们的大脑开始加工记忆。小睡醒来之后，花五分钟的时间，让自己熟悉一下周围的环境、补充一点水分。并且，如果有可能的话，去沐浴一会儿日光。小睡改善了你的情绪，提高了你的灵敏度，让你的睡眠需求大幅下滑，这一切都能让你受益，让你以更佳状态度过下午余下的时间——甚至还包括晚上。

## - 傍晚的修复期 -

对于那些无法利用午间修复期的人，在当天晚些时候，还能遇到一个大好机会。如果你曾经在下班回家的路上打盹儿，或曾经在傍晚到家后，坐在电视机前打一会儿盹儿，你早已熟悉这个睡眠修复时机了。

晚上睡两觉，这并非没有先例。历史学家罗杰·艾克奇（Roger Ekirch）在他的著作《一天将尽时：夜晚的历史》中论证道，在很久以前，人类曾经每晚睡两觉。第一次入睡是在黄昏之后，然后在夜半醒来。几个小时之后睡第二觉，并一直睡到黎明时分。然而，这是人造光源出现之前。在人造光源拓展夜晚潜能的同时，工业革命也改变了我们对时间的利用方式。在一个生产力至上的社会中，分段式睡眠似乎纯属浪费时间。

我并非提议应该回归分段式睡眠，我们的夜晚是如此丰富多彩，谁都不想错过这样美妙的夜晚。我的建议是，我们可以利用傍晚的一段时间，下午5—7点（对于晚睡星人，可以向后延迟一会儿）休息一会儿。在这段时间，尽管睡眠冲动在不断下降，但我们的睡眠需求却处于峰值，特别是如果前一天晚上睡得偏少的话。如果错过了午后的小睡，可以利用这一时机，小憩30分钟左右（插入一个可控修复期）。但此时不适合睡上90分钟（即一个完整的睡眠周期），否则会影响夜间的睡眠。

对很多人，特别是朝九晚五的员工来说，这一休息时段更加切实可行。由于工作上的要求，他们可能很难在午间实现可控修复期，或是工作环境不允许他们午睡。傍晚的时段更加便于休憩，他们可以在下班回家（往往已经精疲力尽）后小睡上30分钟，然后更好地利用晚上的时间。

说到黄昏小憩，人们总会联想到这样一幅情景：一个老年人，咬着烟斗、穿着拖鞋、膝盖上铺着报纸，坐着打起了盹儿。但是，时代已经不同了——利用这个睡眠时机小憩一番，是一个绝佳选择。是时候用黄昏小憩来取代那个旧形象了。随着年龄增长，我们对睡眠的需求会日渐降低——这样的说法一直在流传。事实是，随着年龄增长，睡眠效率会下降，但睡眠需求并不会随之降低。

如果一家企业的首席执行官希望自己能继续当好一把手，那么他的年龄越大，就越该重视这一点：人会随着年龄的增长，自然而然地更倾向于多相睡眠。因此，他不该一味地开会、喝咖啡，试图撑过这一时段，而应该学会利用这一时段。如果在这一时段感到昏昏欲睡，那么就应该学会控制。找一个安静的地方，设上30分钟的闹铃，闭上眼睛。你会发现，小憩过后，你的状态将大大改善。无论喝多少杯咖啡，都远远达不到这样的效果。而且，你还能以此补偿你夜间越来越少、越来越碎片化的睡眠周期。如果在这个时段，你希望半躺在家里的沙发上打个盹儿，也要注意控制：给自己找个安静的角落，设好闹铃，获得一个可控修复期，使自己能从中获得最大收益。

如果错过了中午的休憩时段，并希望能在黄昏时段插入一个可控修复期，我们仍得撑过下午，当然这个问题不大。这就需要在工作允许的范围内，巧妙地安排好你的工作计划，这样就不需要在下午备感困倦的时候，被迫干一些太费脑力的活儿。你可以避免在刚吃完午饭不久时参加会议，至少可以安排好那些你有权掌控的事情。如果你可以巧妙地安排你的工作，就可以在这个时段完成一些要求最低的任务——比如文件归档或影印，或整合、润色你已经大致完成的报告。此外，如果你有需要出门办理的工作，比如去银行或去邮局，也可以尽量安排在这一时段处理。

日光是我们的老朋友，它总能让我们的精神振奋起来。因此，如果你做的是办公室工作，就不该在整个午休时段一直坐在办公桌前。如果你在办公室吃午饭，可以试着饭后出去晒晒太阳、呼吸一会儿新鲜空气，而不是一直忙于工作。如果实在无法这样做，你（或者你的公司）可以买一盏日光灯，放在桌上，借此提升一下精神状态。或者也可以使用一些高新产品，比如 Valkee 公司的human charger[1]，在旁人看来，就好像你在一边工作一边戴着头戴式耳机听音乐。事实上，它能通过你的耳朵，对你的松果体进行亮光治疗。

无论这一时段你在哪儿工作，给自己增加一点儿光照。你的效率已经在下降了，需要休整一番。你需要一点推动力，助你顺利度过下午 3 点前后的倦怠期。


## - 休息片刻 -


利用好日间的这两个休憩时机，将给你带来无穷信心，减轻睡眠压力，让你晚上可以晚点儿睡觉，并且不必为睡眠不足而过度担忧。就算某天在半夜醒来也不必担心，因为你知道还可以在明天日间小睡片刻，加以补救。从长远来看，这些日间小睡并不能代替夜间的睡眠。因此 R90 方案给出的建议是，每周你至少应该确保，有 4 个晚上获得了理想的睡眠周期。但这些日间小睡能

---

1　一种新一代的亮光治疗仪。

和你的生理节律保持协调，补充夜间睡眠周期、促进身心的全面修复，并让你保持良好的精神状态和较高的工作效率。

"睡眠"并不仅仅指生理的睡眠，也包括给予大脑一个在24小时中得到修复的机会。在一个白天中，存在两个日间小睡的最佳时机。但是，如果我们希望身体和大脑能够发挥最佳状态，得见缝插针地抓住一天之中的每个微小机会。

见缝插针地利用好这些休息时间至关重要。在体育界中，人体对休息的生理需求极为明显：如果我们在一个训练单元中，让运动员做了一个强度特别大的练习，那么他们需要休息一会儿，才能进入下一个训练单元。但是我们的大脑也需要休息，这点也很重要。我们的大脑需要定时休息，才能更好地整合加工信息。如果一直缺乏休息，我们将无法集中注意力。在这一点上，那些优秀运动员也和普通人一样，也会出现注意力涣散，甚至感到乏味无聊的时候。无论多么优秀的运动员，如果让他长时间地做同一个练习，他的注意力早晚都会无法集中。

根据著名的"一万小时定律"，想要完全掌握一门技能、成为一个领域的专家，你必须专注于这一领域、勤加练习，锤炼一万个小时。瑞典心理学家K.安德斯·埃里克森，正是这一理论的奠基人。他阐述道：

许多领域的一流专家，只能不间断地坚持1小时左右的练习……不少优秀的音乐家和运动员声称，妨碍他们不断锤炼技艺的罪魁祸首是，他们无法始终保持专注练习所需的高度注意力。[6]

对于大多数人来说，我们日常所做的那些事情并没有那么重大，不足以用"锤炼"来形容。但道理是相通的。我们无法始终保持工作所需的高度注意力，因此，如果缺少休息，工作效率迟早会出现下降。我们会感到疲惫并备感受挫。

暂停一会儿，休息片刻吧。如果你可以每工作 1 小时就休息片刻，那就照这样做。但对许多人来说，这有点儿不切实际。但是，如果秉着 R90 方案的精神，尝试每隔 90 分钟休息片刻，似乎还是有可能的。对于大多数办公室白领来说，每隔 90 分钟找个理由离开办公桌一会儿，这似乎并不是什么难事儿。即便你在商店或工厂车间里工作，或者干的是别的对工作时间有诸多限制的工作，每隔 90 分钟休息一会儿，总比每隔 1 小时休息一会儿来得容易一些。

什么？你没有时间休息？那就挤出时间来休息。休息过后，你将拥有更高的效率和更集中的注意力。你并不需要太长时间的休息。站起来去倒一杯水，去上个洗手间（即便你并没有这个需要），跑出去几分钟，站起来和同事聊会儿天，或者打个电话。做什么其实并不重要，关键是要暂时离开你的办公环境一会儿，抛开工作片刻，让大脑能够得到一个修复时机。如果你整天坐在办公桌前，那么离开一会儿，一定能给你的身体带来诸多益处。

你可以试着做出一些小小的调整，找到更多的休息机会。没有人会阻止你倒水喝，所以，不要一次加满2升水，然后坐在办公桌前一动不动。每次只倒一小杯水，这样你就可以经常去加水。

我们可以让这样的休息片段发挥日间小睡的功用，即让我们的思绪暂时远离我们的办公环境，让思想开一会儿小差。这样每隔90分钟一次的"大脑休息"，能让你再度回到办公桌后的表现大幅提升，并让你的压力水平大幅降低。如果你能在一天中多次这样休息，那么效果就能叠加，让你的下午和黄昏不再那样困倦难当。这样的休息片段，也有助于你"下载"你的一天，并助你在潜意识中消化吸收你正在做的事，并将它们归档保存。每过90分钟休息片刻，并在必要时打个小盹儿（插入可控修复期），让多次休整实现叠加的效果。

如果你并不是某一次会议或者小组讨论的关键人物，那么也可以利用开会或小组讨论的时间退居幕后，让大脑休息片刻。只要稍加练习，你就可以做到。你完全可以睁着眼睛，在人满为患的会议室中获得高效的休息——几乎就像日间小睡一样，而旁人根本不知道你在做什么。

你可以和同事聊聊昨晚的足球比赛，或者昨晚观看的电视节目，这样的聊天并不需要你全神贯注。现在正是聊天的好时机。愉悦轻松的聊天，是大脑休息的绝佳时机。而且当你的聊天对象说话的时候，你总是可以开会儿小差，天马行空一番。

你也可以用办公桌上的头戴式耳机，打开冥想应用，听一段冥想音乐或是别的，把注意力转移一两分钟。我会把一块和我颇有渊源的、经过抛光的宝石带在身边。当我需要休息片刻时，就会把手伸进口袋，把它握在手中，然后走一会儿神，给大脑一个休息的机会。这时，你甚至还可以和我说话——你压根儿就不会知道，我在做什么。

用手机设置90分钟的定时，提醒自己定时休息。它会让你逐渐了解90分钟到底有多长，不久之后，你就不再需要定时器了。你能自然而然地知道，是时候暂停手中的工作休息一会儿了。

你很快会发现，你的一整天——而不仅仅是晚上——可以被分解成一个个90分钟时长的周期。你可以利用这些周期，让你的活跃期和修复期彼此协调。夜间的睡眠周期、睡眠前和睡眠后的例行程序、日间小睡，还有这些零散的休息片段——有了这些，你的一天就不再是连续的拼命、拼命、再拼命，然后倒在床上睡上8个小时或更少时间，无奈地让一切又周而复始。

在进行休息时，你可以发挥一些自己的创意，利用这些休息时段，让关键睡眠修复指标中的一些其他元素也能连带受益。比如，每隔90分钟脱离那些电子设备片刻。正如你在睡眠前后暂时远离它们一样，这样做是对身心的一种犒劳。你可以先从5分钟开始，然后逐渐延长到20分钟。这样，在每90分钟里，你只有

70 分钟需要盯着那些电子邮件、社交媒体、提示消息和短消息。如果在那 20 分钟里突然想发一条短消息，你不妨先把内容拟好，晚一点再把它发出去。你绝不会在一天中的某些时段，因为晚了 20 分钟回复电邮而失去朋友或影响工作。掌控这些休息时段能增强你的信心，不失为一种极好的训练，从而助你在夜间睡眠前的准备阶段，真正远离那些电子设备。

## - 你若不打盹儿，就会输得很惨 -

日间小睡向来背负着恶名，喜欢白日打盹儿的人常常被贴上懒惰、好逸恶劳的标签。就连西班牙也在考虑逐步取消日间午睡制度。不少公司的员工福利项目已经取得了进展，但在对待脑力和体力修复的态度方面，还有很多公司仍然停留在蒙昧黑暗的年代中裹足不前，这样的局面必须结束。有一句糟糕的俚语是这样说的，"你若打盹儿，就输了"[1]。一些懂得把握良机的商人对此深以为然。但是，如果你也拘泥于这句话，就会精疲力尽、举步维艰。人体身心修复的实际情况是，你若不打盹儿，就会输得很惨。

据英国交通部统计，约有 1/4 发生在主干道上的交通事故和

---

[1] 原文是 "If you snooze, you lose"，引申义为：如果你不注意，就错失良机了。

各种睡眠问题有关[7]，而一份美国的报告则强调了车祸时间和与睡眠相关的交通事故之间的关联性。[8]凌晨2—6点以及下午2—4点（午后倦怠期）往往是此类交通事故的高发时段，即便当事者并不存在睡眠剥夺的情况。这一事实其实并不足为奇。

因倦疲乏会招致杀身之祸，也会让你表现失常。因此，我们在竞技体育界引入了可控修复期。那些适时小睡的运动员，绝不是什么懒汉或好逸恶劳之徒。正如K.安德斯·埃里克森指出的那样，在其他领域中的佼佼者，比如著名的作家和音乐家之中，"日间小睡的人数明显呈上升态势"。[9]

换句话说，如果你想向那些精英人士学习借鉴，那么是时候学会日间小睡和自我修复了。对于企业来说，是时候重新思考企业文化，并重视这些休息时段了：尽量减少午后倦怠期的会议数量；允许员工每隔一段时间暂时放下工作、休息片刻；提倡定时休息；鼓励员工给自己安排可控修复期。不妨借鉴一下谷歌等大公司那富有弹性的工作时间和工作文化，他们能大言不惭地鼓吹，他们的工作理念是"创造全球最快乐、最高效的员工"。

从长远来看，从现在开始重视这些日间休憩将有益于提高办公效率、营造愉悦的办公环境，而你自己也将从中受益。

**日间小睡：智慧睡眠的 7 个要点**

1. 利用午后休憩时机（下午 1—3 点）给自己安排一个可控修复期，是弥补夜间睡眠周期的完美方法，这也与你的昼夜节律彼此协调。

2. 黄昏（下午 5—7 点）是次优的休憩时机，因为此时人的睡眠需求极高。但这一时段的日间小睡应控制在 30 分钟之内，这样才不会影响晚上的睡眠。

3. 白天睡不着？没关系。只要花 30 分钟放松一会儿，暂时脱离周围的世界片刻。

4. 至少每隔 90 分钟休息一会儿，消除大脑的疲劳，提高注意力的集中水平。在休息时不要使用电子设备，你无需让自己自始至终地受到电子设备的控制。

5. 不要受到你所在的企业文化的影响，切莫先入为主地给那些白天睡觉的人贴上"懒惰"的标签，而应着手构建一种接受日间小睡和休憩的企业文化——你若不打盹儿，就会输得很惨。

6. 使用冥想或正念应用软件，或者把玩某个珍爱的私人物品，暂时脱离当前的环境。

7. 如果你真的无法脱身，那就巧妙地安排一天的工作。在午后倦怠期，不要让自己困于太费神的工作。

[ 06 ]

# 改造你的床铺

——

寝具套装

一对儿年轻又有抱负的夫妇最近一起买了一套公寓。多年以来，他们一直租房生活，能睡哪儿就睡哪儿，现在是第一次购买双人床和床垫。

他们已经做了不少功课，在各大网站上看了不少攻略，知道应该倾其所有买一张上好的床垫，因为那些攻略上就是这么说的。床垫值得投资，一张好的床垫能用 10 年。记忆海绵，独立袋装弹簧……花更多的钱在床垫上，而不是床架上。他们感到自己已经了解了这些基础知识，同时也非常清楚自己的预算。

他们立刻做出决定，在网上买了一个样式中意的双人床架，这花去了他们一半的预算。可是总不能在网上买床垫吧，是不是？那些顶级攻略上可不是这样建议的。必须亲身体验一下。于是他们走进了一家卖寝具的商店里，目的就是在那些床垫上躺个5~15 分钟，亲身体验一下。

销售员立马看到了他们的昂贵名表、精致夹克、高档手袋，热情地上去招呼，心里盘算着："先给这俩家伙介绍一张价值2000 英镑的床垫试试。"

他带他们看了同类床垫中最好的独立袋装弹簧矫形床垫，要花一大笔钱。"它能创造奇迹，让你们拥有无比美妙的体态"，这位销售员满脸堆着笑容。加速带、数千支弹簧，一应俱全。但他察觉到，当他报出床垫的价格时，他们的脸上闪过一丝不安。于是他降低标准，带他们看了1500英镑和1000英镑的床垫。

这对夫妇在床垫上蹦跶着，又在床垫上躺了好几分钟，摆出各种睡姿，把脑袋靠在店家提供的枕头上。"试试吧，上去试试吧。"销售员说道。他们笑着上了床，在灯火辉煌的商店里，惬意地闭上了眼睛。

然而，欢乐时光很快结束了，他们该做出决定了。

"你觉得哪张最舒服？"

"我不知道，也许是第二张？第二张不错，也够结实，但好像也没有那么结实。"

第二张床垫的价格比他们的预算高出500英镑。但这是一个折中的选择，而且这张床垫的弹簧比最便宜的那张多得多，让他们觉得很放心。"一分价钱一分货"，他们想。

"明智的选择。"销售员微笑着说道。

这对夫妇走出店门，比预算多花了500英镑。他们终于有双人床垫了，而且在以后的10年中，也不用再买床垫了。他们甚感欣慰。

可是他们真的做出了正确的选择吗？

## - 购买床垫的盲目性 -

你能想象出，除了买床垫之外，还有什么东西需要让你花这样一大笔钱，并且花得如此盲目吗？买汽车时，你会在看了几篇报纸上的吹捧文章之后，就毫无准备地走进店中吗？或者只听零售人员吹嘘几句，就做出购买决定吗？要知道，你即将在这张床垫上，度过每天 1/3 的时间。

然而每年都有成千上万的人这样盲目地采购床垫。他们一无所知地走进店中，任凭销售人员的摆布，最后多半会带着一张虽然能用但并不适合他们的床垫离开，甚至不知道自己是买对了还是买错了，因为他们并不知道什么是合适的，什么是不合适的。

我们并不会频繁地购置床和床垫——据说一张好床和一张好床垫能用上 10 年，因此很少有人了解最新、最可靠的床垫信息，为什么要了解呢？床只要式样好就行了，而床垫不过是一样大家都认为理所当然的东西。

在需要买床垫时，我们大多会匆匆忙忙地上网研究一番——网上有大量相互矛盾的建议，其中大多数都会提到"你需要一张好的床垫"，但究竟何谓"好的床垫"却语焉不详。该花多少钱购置床垫？一张床垫该用多久？同样是众说纷纭、莫衷一是。

与此同时，寝具零售商和生产商也了解这一点。我当然也了解——我一直干这一行，并且至今仍然在干这一行，因为我负责为运动员们提供床垫、寝具和睡眠用品。

关于寝具，首先你需要了解的一点是，寝具这行一向缺乏行业规范。我可以任意调高弹簧的拉伸强度，甚至达到能让一头大象躺在上面的程度；接着在上面铺一层高密度泡沫床垫，让它更加牢固；然后裹上一层诱人的伪医学纤维，并在上面贴上"矫形"的标签。我可以大摇大摆地把如此炮制的床垫拿到商店中出售，没人会妨碍我这么做。我是一个整骨治疗师或医生吗？不是。我有没有对床垫进行一系列测试，以确定它是否具备矫形的功效？没有。我只是尽我所能做了一张坚硬牢固的床垫，而且没人能阻止我宣称，它对人体多么有益。

我也可以保证，我的床垫有 2000 支弹簧，因为竞争对手的床垫中有 1500 支弹簧，2000 听上去比 1500 高级多了。这就像是一场军备竞赛，为了在一张床垫中塞入更多的弹簧，商家开始使用更短小的弹簧。这样的比较是没有意义的，但很少有人会想到这些问题。如果你实际上只需要 50 支弹簧呢？如果一个数字并不能作为衡量标准，那么它还有什么用？这对夫妇并没有在销售人员报给他们那一连串数字之后，问问这些数字究竟代表着什么，就想当然地认为数字越高质量一定越好。他们也没有注意到那个小小的标签。2000 支弹簧很可能适用于特大号的床垫，床垫越小，需要的弹簧也越少。零售商不会把这些跟你讲个清楚明白。

在体育世界中，一切已经今非昔比，但有个建议仍然适用：

不要让那些运动员贸然去寝具店中采购床垫。这就好像让一名英超联赛的球员去打折的运动服装商店采购足球靴。他们得对床垫有更多的了解，我可以陪他们一起去买，或者干脆替他们采购。

我在刚开始和曼联合作时曾帮助过加里·帕里斯特，他的背上有伤。他是一个经验丰富的后卫，但是多年在赛场上激烈厮杀给他的身体造成了伤害。他的腰背部存在多处拉伤，带来了不少痛苦。即便是在今天，对运动员们来说，通过手术治疗脊髓损伤，也是最后迫不得已才会做出的选择。

他们没有让他动手术，而是用脱脂棉裹住了他的腰背部。俱乐部的首席理疗师戴夫·费弗尔每天会花很长时间给加里疗伤，同时加里的训练量也减到了最少。他们甚至还在考虑，要不要在俱乐部的专车中撤掉一张椅子，换成一张能够支撑腰椎的坐卧两用折椅。

当我加入俱乐部时，用戴夫的话来说，加里的身体"在不断恶化，而不是在康复"。除了别的因素之外，加里的床垫也正在加重他的病情，不利于矫形。我们更换了床垫后不久，戴夫就开始发现，加里不需要那么多治疗了。我们并没有治愈他——这可不能凭空想象，但他的伤势没有继续恶化，俱乐部也不需要改造专车了。

如果一位著名的运动员走进一家寝具店中，销售人员认出了他，会直接带他去看最高端昂贵的床垫，直接跳过给本章开头的夫妇看的那些床垫。一张床垫有可能是天价，但未必是最合适的。因为那些满口时髦市场行话的销售员只会把最贵的床垫推销给他们。

# - 又是一刀切？ -

前面我们已经说过，每晚 8 小时睡眠的一刀切思维是不正确的。这一逻辑除了适用于睡眠时间之外，也适用于床垫的选择。

勒布朗·詹姆斯是一个美国职业篮球运动员。他身高 6.8 英尺（超过 2 米），身材魁梧，体重 250 磅（113 千克）。而奥运会 4 枚金牌的得主、英国场地自行车选手劳拉·特洛特，身高 5.4 英尺（1.63 米）、体重约 115 磅（52 千克）。如果说，最适合詹姆斯的床垫，也是最适合特洛特的，那显然不合逻辑。

床垫业界向来毫不关心人的体型。没有一位销售员会将你上下打量一番，然后把"尺寸"合适的床垫指给你看。一些品牌商家会设计一系列硬度不同的床垫，但你仍然有可能会带着其中任何一张离开，而且未必选对。而一些新锐时尚的品牌，有着非常聪明的营销策略，他们只推出一种床垫。一种床垫——供身材、体重各不相同的所有人使用。这怎么可能？

在你买衣服或鞋子时，绝不可能出现这种情况。你会买适合你的尺寸。那么，床垫为何不是这样呢？衣服有大号、中号和小号，与此类似，人的体型也有大中小三种，还有加大号、加小号以及特小号这样的极端情况——

外胚层体型者身材瘦长，臀部和骨盆狭小，四肢颀长，通常他们的脂肪和肌肉量都少于其他两种体型的人。布拉德利·威金斯和莫·法拉都是这一体型的典型代表。许多职业自行车选手，也都属于这一体型。至于女性，模特凯特·摩丝、卡拉·迪瓦伊，演员乔安娜·林莉都堪称其中典型。

中胚层体型者身材适中，骨骼和肌肉厚实，肩膀和胸膛比臀部宽大。许多职业运动员都属于这种体型，网球选手拉斐尔·纳达尔、比约恩·博格，女子七项全能运动员杰西卡·恩尼斯是这一体型的典型代表。

内胚层体型者身材魁梧，肩膀宽阔，臀部更宽。喜剧演员唐·弗兰奇、米兰达·哈特和歌手阿黛尔是这一体型的女性代表，好莱坞演员罗素·克劳、赛斯·罗根，拳击手安东尼·约书亚、穆罕默德·阿里是这一体型的男性代表。

当然，也存在介于两种体型之间的过渡体型，三种体型之间是逐渐过渡的。有的人介于外胚层体型和中胚层体型之间，有的人介于中胚层体型和内胚层体型之间。无论你是高是矮、体重偏重还是偏轻，你的身材仍然不会脱离你原来的体型，而且男性和女性具有不同的特征。

即便两个人身高相同，但只要体型不同，他们就需要不同的床垫。不同规格的床垫，才能满足他们各自的需要、让他们觉得舒适。而伴侣同床共枕，让事情变得更加复杂。如果一对夫妇的体型不同，应该根据体型较大者选择床垫（如果一对伴侣分别属于中胚层型和内胚层型，应该根据内胚层型选择床垫。如果分别属于外胚层型和中胚层型，应该根据中胚层型选择床垫）。

先别忙着测量你的体型，我有一个简单得多、屡试不爽的方法，能保证你买对床垫。但是首先得保证，你的睡姿是正确的。

## - 何种睡姿 -

我们已经谈过，如何在睡眠前和睡眠后做好充足准备，如何根据你的睡眠周期安排你的睡眠时间，以及如果前一天晚上没有睡好该如何进行补偿。我们已经聊过，在睡眠前后的那段时间，你该如何做。但到目前为止，我们似乎在想当然地认为，晚上只要上了床，就知道该采取什么睡姿。

和体型一样，人有三种基本的睡姿：俯卧、仰卧、侧卧，对此我们都很熟悉。当然，这三种睡姿并非是彼此完全排斥的：你可以把你的四肢弯曲成各种形状，就像柔术演员一样。三种睡姿之间的界限是模糊的。此外，一位高海拔地区的登山运动员也许会琢磨，睡在挂在悬崖峭壁旁的睡袋中，到底属于什么睡姿。但对我们这些晚上在床上睡觉的人来说，这是三种最基本的睡姿。

仰卧是一种常见的睡姿，这一睡姿的好处是：能让你的肩背保持直线型（前提是你没有靠在破坏这一直线型的枕头上），但这一睡姿会让我们的喉部肌肉过于放松，导致呼吸道阻塞。英国打鼾和睡眠呼吸暂停协会指出，"相对于采用侧卧位（侧卧）的人来说，采用背卧位（仰卧）的人，更容易打鼾或出现睡眠呼吸暂停。"这些因素会干扰我们的睡眠，彻底剥夺我们的睡眠周期，或让我们整晚都在浅睡眠。此外，打鼾和睡眠呼吸暂停还会打扰我们的伴侣，令对方睡不好觉，引起嫌恶，影响夫妻关系。采取仰卧式也会让我们产生被暴露的感觉，导致大脑不得不提高警觉。

俯卧也许能让打鼾的情况有所改善，但也存在不少问题，趴着睡觉的人会把脊柱弯曲成一个不自然的姿势。而且，除非把脸庞埋在枕头中——以这个姿势俯卧更加有害，他们的颈部也是弯曲的。俯卧会引起腰背部疼痛、颈部疼痛和多种疾患。此外，这种睡姿会让白天的各种不良姿势引起的颈部和脊柱的健康问题进一步恶化，包括整天坐在电脑前面、低头看手机和其他手持设备。

侧卧是我唯一推荐的睡姿，但也许你现在侧卧的方向并不正确。我所训练的那些运动员睡觉时，会采用胎儿的姿势、躺向相对不太重要的身体一侧。因为这是使用较少也较不敏感的一侧，换句话说，如果你习惯使用右手，你该向左侧睡，反之亦然。如果你真的是那种左右手同等灵活的人，你可以试着想想，你会本能地使用哪一侧来保护自己。

胎儿睡姿的要点包括：膝盖自然弯曲、两条手臂放在身前，并轻轻交叠在一起，颈部、脊柱和臀部形成一条平滑的直线。夜间睡眠时，采用这种睡姿的时间越长越好。（当然，在睡着的那几个小时中，你一定会多次改变睡姿，但你的床垫应能让你更久地采用这种睡姿）。

当你采用这种睡姿时，脊柱和颈部的姿势都是自然的，因此不会引起任何问题。打鼾和睡眠呼吸暂停的发生率也减少了。你的大脑也喜欢这种睡姿，因为它觉得当你采用这种睡姿时，你的身体是安全的——你那强壮的四肢，能够保护你的心脏和其他脏器，还有你的生殖器。

在欧洲大陆旅行时，当错过了最后一趟火车又无处可去时，我就会在火车站过夜。我会躺在地上——地面是硬度超高的床垫，用背包当枕头，把值钱物品放在外套的内口袋中，并把手臂放在上面。如果有人想偷东西，我能用我最强壮的手臂进行自我防御。这样的安全措施，让我们能在开放式的甚至有潜在危险的环境中安然入睡，即便在安全的家中，这样的睡姿也同样适合。因为大脑会觉得这样很安全，从而让身体进入几乎麻痹状态的快速眼动睡眠和深睡眠。

我看到过不少所谓的心理学研究，这些研究武断地认为，从睡姿能看出你的个性特征。但如果你采用我推荐的睡姿，其实只能说明一件事：你的确非常重视身体和心灵的修复。

## - 床垫测评 -

现在可以测评一下你的床垫了。检测一下你现在正在使用的床垫，或者你正打算入手的床垫。本章开头的那对儿寝具店中的夫妇，就该这样检测一下。

在检测床垫时，如果你的伴侣或朋友在你身旁，可以让他们帮忙。但如果只有你一个人，也可以借助于你手机的摄像头。如果你在家中，可以笔直站好，双手轻轻交叠，弯曲膝盖，稍稍蹲下，形成一个舒适、平衡的姿势。这是你站立时的胎儿姿势。

现在用这个姿势躺在地板上。躺向非主要的身体一侧，保持这个姿势片刻。你的伴侣或朋友一定会看到，你的头部和地板之间存在着一段空隙，或者你可以用手机拍一张自拍照，看看这段空隙。此外，你的脖子一定能感受到这段空隙的存在（通常枕头会填满这段空隙）。当你这样躺在地板上并保持这个姿势时，硬硬的地板会让你肩膀和臀部感受到越来越大的压迫感，想要移动或者调整一下姿势。在我们夜间睡眠时，通常也会这样——特别是睡在太硬的床垫上的话——否则床垫就会损害你敏感的肌肉和关节。你可以这样躺在地板上睡过去——很可能会在不知不觉中改成俯卧的姿势，但这是在牺牲自己的睡眠质量。

现在，采用这个姿势，躺在你准备检测的那张床垫上。如果这是家中的床垫，你可以把床上用品（包括枕头）全部移开，只剩下光秃秃的床垫。如果这是寝具店中的床垫，通常床垫上本来就没有东西。但如果不是这样，你可以把上面的被褥床单都移到一旁。按照这个姿势躺好之后，你可以叫一个朋友或伴侣——或利用自拍——判断一下你的脑袋和床垫之间的空隙有多大。

　　当你的头部、颈部和脊柱形成一条直线时，如果脑袋和床垫之间的那个空隙非常明显，达到了 6 厘米的间距或者更宽——差不多是双手交叠起来的高度，让脑袋下意识地想要歪向床垫，正如躺在地板上时那样，那就说明这个床垫太硬了，它无法给你带来舒适感，也不利于你保持平衡的睡姿。如果你的臀部陷入了床垫中，而脑袋被床垫垫高了，那就说明这张床垫太软了。软硬适中的床垫，应该轻松地接受你的体型和体重、均衡地承受你的体重，让你形成直线形的睡姿，如下图中所示。

**胎儿体位侧卧在床垫上的正确姿势**

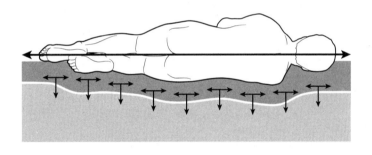

　　如果你想买一张床垫，但寝具店中的床垫无法做到这一点，那么无论它是用多好的材料做的，无论它价格几何，都不要买。如果你家中的床垫无法做到这一点，那么就该考虑换一张床垫了。如果你囊中羞涩，也不用灰心丧气——有个补救措施，比换床垫省钱。

　　一个好的床垫套覆盖在床垫之上，就像床垫的延伸，能更好地满足你侧卧睡眠时的身体需求。你可以在床垫上添加一个和床垫一样大小的护体枕头，增进舒适感，并保护敏感的肌肉和关节。还可以在床垫上铺上多余的羽绒被，再在上面铺上床单，也能起到类似的作用。

然而，我们很多人早已自行采取措施，弥补床垫的缺陷。很多人每晚铺上厚厚的褥子睡觉。其实，正如上图所示，我们并不需要这样的东西。

## - 说说枕头 -

如果你在鞋店看到了自己喜欢的鞋子，会先问问有没有适合你的尺寸，如果店家回答没有，那么就只剩下一个选择。你绝不会考虑买小一号的鞋，因为穿上小鞋走路会痛；也可以买大一号，在里面加双鞋垫。

枕头能弥补床垫的不足，就像鞋垫能弥补鞋子尺寸上的缺憾。床垫太硬的时候，使用枕头能填补脑袋和床垫之间的空隙。床垫太软的时候，枕头会让我们的脑袋更加远离平衡点，引发姿势问题。如果睡觉时垫着两个或者更多枕头，很可能你的床垫真的很硬。要不然，你就在给自己积累麻烦。

你可以购买记忆海绵枕、羽毛枕、涤纶枕、止鼾枕，或者寝具商人最喜欢给枕头贴上的标签——矫形枕头。有的枕头使用的纤维织物和填充料充满异域情调（西伯利亚鹅绒），有的枕头的材质是最普通的人造纤维（但套上枕套后，看上去都差不多）。无论枕头商人开出多高的价格，枕头的功用万变不离其宗——补偿床垫的不足。

如果选对了床垫，那么枕头完全是多余的。但是积习难改。我们喜欢枕头——我们习惯使用枕头。我们喜欢枕着枕头睡觉，喜欢在上床前把枕头摆摆正、拍拍松。翻来覆去难以入眠时，我们喜欢和枕头较劲，把枕头捶打一番。一个薄薄的枕头就足够了，如果你的床垫软硬合适，枕头会受压缩小、合乎使用。一个昂贵的颈托矫形枕头可能会带来问题，而一个廉价的涤纶枕头相比之下有可能反而更适合。


## - 特大号的我 -


在那对年轻夫妇挑选床垫时，他们犯了很多错误。但在踏入寝具店之前，他们也许已经犯下了最大的错误——在他们决定买一张双人床的时候。

我们幼年时的第一张床通常是一张标准尺寸的单人床，3英尺（90厘米）宽、6.3～6.6英尺（190～200厘米）长。在青少年时代和成年早期，我们也许仍然睡着单人床，但通常会在离家独立生活时，换一张双人床。

一张双人床有 4.6～4.7 英尺（140～143 厘米）宽。就算你不是数学家，也能算得出这根本不是单人床双倍的尺寸。如果说，在你的大半生中，仍将继续享有与一张单人床等同的空间，那么你的另一半呢，难道只能拥有 50 厘米的空间吗？你认为这样还能保证睡眠质量吗？

　　无论商标上写着什么，寝具零售商只销售一种真正的双人床，叫作特大号（super king）床——这样的命名听上去够豪奢，勾起了你的购买欲。特大号床有 6 英尺宽（180 厘米），正是单人床宽度的两倍。如果你真的重视睡眠、重视你和伴侣的感情，并且你的房间能放得下的话，这绝对是你应该考虑的最小号床。特大号床提供了两人并肩而睡的睡眠空间，而所谓的双人床（double），只适合一个人睡。

　　如果你的卧室能放下一张特大号床，但这意味着你得搬走你的床头柜，那就搬走床头柜。因为床的大小更加重要。如果你的床太小，并且无力承担换床的费用，那就把床也搬走，把新买的床垫直接放在地板上。那对夫妇把一半的预算花在了床架上。绝大多数网上信息都会建议你，把更多的钱花在床垫而非床架上，但其实你完全可以把所有的钱都花在买床垫上。我自己根本不用床架，只用床垫。床架基本上就是一个花哨的摆设，一个让卧室看上去更悦目的玩意儿。只要地面结实、平整、能放床垫，也不必在乎它是什么材质，你可以使用时髦、别致、低成本的木托盘，也可以使用地板。许多运动员喜欢睡在地板上的寝具套装中，因为这样更凉爽（热气会上升）。

我们床上拥有的空间越小，就越可能打扰到我们的伴侣。深更半夜，一只胳膊或一条腿突然架在了你的身上；你的伴侣在你身旁翻了个身、碰了碰枕头；你的伴侣呼出的气息直扑向你——这一切都会把你吵醒，阻止你进入深睡眠阶段，而深睡眠是你身心所迫切需要的。

## - 准备一套寝具套装 -

2009 年，时任英国自行车队主教练的谢恩·萨顿，介绍我认识了马特·帕克——边际增益的提出者。他们搜索了一些有关睡眠的专业方法，有的是纯学术的，有的是临床性的。但这些方法由于过于侵犯隐私或太不实际，都难以实际运用。于是我和马特密切合作，采用我多年总结出来的方法、诀窍和干预措施，看看是否能改善运动员的睡眠、取得理想成效。随后，我将这一修改后的身心修复方法，介绍给了戴夫·布雷斯福德和他的庞大团队，这一团队中有来自世界各地的最优秀的教练和运动科学专家。他们的反应是："这一套真的有效果。"

与自行车队合作让人兴奋。天空车队在英国自行车协会——英国自行车运动的管理机构——有重大投资，这让他们能够组织起一个专业自行车队，并且和包括布拉德利·威金斯在内的一些顶级骑手签约。他们雄心勃勃，一心想让英国的自行车选手在环法自行车赛中夺冠。

为了实现这一目标，天空车队重视每一个细节。从比赛用车、车手的健康情况、车赛的策略这些显而易见的要素，到心理战术、预防感冒病毒——咳嗽着坚持参加体能消耗极大的环法自行车赛，简直毫无意义——等一些容易被忽视的细节，他们都没有掉以轻心。当然，还包括选手的睡眠状况，这些都是他们的边际增益法的有机组成要素。他们力求不忽视任何一个要素并加以改善提高，哪怕在某一方面只提高了 1%。积少成多带来的改变，绝对不容小觑。

我为他们列出了那些关键睡眠修复指标，让车队的每个成员，而不仅仅是赛车手，都了解了根据睡眠周期进行睡眠的重要性，了解了如何利用休息时间修复身心、如何利用家中的环境改善睡眠。我根据 R90 方案训练他们，还知道我能产生更大的影响。

边际增益的其他要素，都是固定不变的。赛车手们的饮食方案始终没变。他们骑着同一辆自行车、穿戴着同样的设备，但参加环法自行车赛的每个晚上都会住在不同的宾馆房间中，躺在不同的床上。于是我为赛车手们设计并制作了 R90 寝具套装，让他们每晚都能使用为他们量身定做的寝具睡个好觉。

这个寝具套装，大致就是一张可携带的单人床。根据选手个人情况的不同，它由2～3层黏弹泡沫组成，外面包着一层可拆卸、可机洗的外罩，还配有一个薄薄的枕头，一套羽绒被、床单和枕套。所有这些东西，都可以装在一个特别设计的背包中，几秒钟的时间就能准备好，因此只要将它们对半折叠、装入背包、拉上拉链，就能带着出门了。需要使用时，只需要将包带入房间中，拉开拉链，把这套东西放在需要的地方——放在床架上（我们会移除上面的床垫）或直接放在地板上，就可以使用了。

对于赛车手来说，这是一大革新。这意味着他们可以在家使用这一套寝具套装，按照我告诉他们的方法慢慢习惯使用这套设备睡觉。等到比赛时，我们可以把所有赛车手的寝具套装都搬上天空车队的专车。这样，当激烈比赛了一天的赛车手们回到自己的房间休息时，他们知道一切都已布置妥当：后勤人员已经把寝具套装放在了他们的房间中。他们很习惯这套寝具，因为已经用这套寝具睡了好几个星期。早上，他们离开房间后，后勤人员会回到房间把寝具打包带走。赛车手们知道，第二天晚上，他们仍然会睡在同样的床垫上。每当天空车队到达酒店并开始搬运选手们的寝具套装时，总会引来其他车队选手的好奇目光。这并不仅仅是为了赛车手而准备的，随行的其他车队成员也能使用自己的一套寝具睡觉。这一方案是自上而下全面落实的，目的是让每个人都能更好地扮演自己的角色，创造自己的边际增益。

2012年环法自行车赛的冠军——布拉德利·威金斯——比赛

时睡的床垫，大致上就是这样的几层泡沫塑料。克里斯·霍伊参加 2012 年的伦敦奥运会时，并没有睡在五星级酒店房间的床上，而是睡在地板上——他的专用寝具上，那是根据他与众不同的身材量身定制的，软硬适中、符合他的人体构造。前往伦敦斯特拉福德的奥运村参加比赛时，他让人用直升机运来了他的专用寝具。他使用这套寝具睡觉，并且两次摘得金牌。

对于这些运动员还有他们的队友来说，身体健康常常面临威胁，他们每天都需要获得高质量的身心修复。如果他们都不需要那沉重的、有数千支弹簧的床垫，那么本章开头的那对夫妇还有你、我为何需要呢？

## - 准备你的寝具套装 -

在天空车队的巅峰时期，他们采购各种材料，为每一位运动员量身定制寝具套装。但他们并不是我提供寝具套装的唯一人群，我也与那些没有那么多资金、生活上相对简朴得多的运动员合作，比如一些 16—18 岁的小轮车赛手，他们的目标是 2020 年的奥运会，而唯一的资金来源是他们的父母。除此之外，一些狂热的业余赛车手也希望能以适合业余爱好者的价位，获得最佳的身体康复。得让这些人也消费得起。

循着这些指导职业运动员的原则，我们也能着手准备一套自己的寝具套装。当然，我们并不需要带着寝具满世界地跑——我们需要一个家庭版的，最好是特大号的寝具套装，其中的各个单品可以根据预算自行选择。准备自己的寝具套装，能让我们最大化地利用好夜间的睡眠周期。

## 多层床垫

一些床垫零售商宣称，床垫每过 7 年即需更换。一些床垫生产商则宣称，他们的床垫能用上 10 年。就是这样的逻辑，让那对花了 1500 英镑买床垫的年轻夫妇以为，这相当于每年只花了 150 英镑。但我宁可你每年花 150 英镑或者每两年花 300 英镑购置寝具，如此过上 10 年，也不建议你一次消费 1500 英镑。在我担任斯林百兰的营销总监以及英国睡眠协会会长时，我率先提倡人们应该更频繁地更换寝具。当时，一张床垫的平均使用时间超过 20 年，因此生产商和销售商联合倡议，应该把床垫使用期限缩短到 10 年。

然而，即便现在，提供给大众的信息仍然非常模糊：如果我们每过 7～10 年就要更换床垫，那么为什么这些床垫拥有 10 年以上甚至终生的质保期？这样做无非是想让你安心，愿意倾尽所有去买一张床垫。

想想你都在床垫上做了些什么。你在上面做爱，在炎热的夏季，床垫浸满了你们的汗水；在你享受偷懒假，或者周末睡懒觉的时候，你也许把一星半点儿的外卖食品弄在了床垫上；或者，如果你有孩子，他们也许会跳到床上嬉戏打闹，弄得一团糟；一些人甚至会让他们的宠物上床。你的床垫和这么多的体液、毛发和死皮之间，只隔着薄薄的一层床单，你为什么10年都不舍得换床垫呢？你是不舍得床垫上的那些污渍吗？

不仅仅是表面的损坏，床垫还会随着时间推移而日渐损耗。你刚买回家时簇新的弹力床垫，会随着时间流逝而老化。你的床垫几乎每晚都要连续8小时承受你（以及你的伴侣，如果你有的话）的体重，它的性能当然会逐步下滑。尘螨——我们马上就会提到这种东西，也更喜欢在你的旧床垫上安家。

你可以循序渐进地逐步建立你的寝具套装，而不是每隔10年换张床垫。我们先从最主要的床垫说起。你可以使用现有的床垫，或者也可以买一张更适合你（还有你的伴侣）体型的新床垫，也许花200～300英镑就够了。接着，你可以在上面铺上几层额外的床垫（5～8厘米厚是最适合的）。如果你现在的床垫并不适合你，这些额外的床垫会改善这种情况，而费用只是更换整张床垫的一个零头。如果你现在用的床垫软硬适中，多加一层也能锦上添花，让你睡得更舒适。

在这几层床垫上，再放上一个护体枕头。在我制作的寝具套装中，还包括一个可拆卸、可清洗的床垫套，这样就能防止各种污渍沾在床垫上。而大多数商家出售的产品中，那个床垫套是永久缝合在床垫上的，无法清洗。所以，不妨在你的寝具套装中添上一个床垫套，或至少一个床垫保护罩。你完全可以自己使用自己选择的材料——只要这些材料软硬适中就好。你可以做一个量身定制的床垫套。

如果你的床垫有好几层，那么每隔几年——而不是 10 年——更换其中的某一层或某几层，就不会让你觉得那么舍不得，因为一层床垫花不了你 1500 英镑。我们之前说过的那些污渍，还有床垫的天然损耗，也没有那么棘手了，因为污渍和损耗只会影响最上面的几层床垫，你可以频繁地更换它们。

每逢赛事，我会把那些睡眠寝具和泡沫床垫运往全球各地。我选用的那些高品质黏弹泡沫可以被卷起来塞进包中，因此运输费用并不高。而且，运动员在用过它们之后，可以选择不带回家。这并不是什么用完即丢弃的一次性用品，但如果和 1500 英镑的床垫相比，显然廉价得多。如果运动员不准备把它们再带回去，可以捐给慈善机构或地方院校，当然也可以把它们带回家。


**床上用品**


你的床垫套最好是用低过敏性的材质做成的。事实上，无论你是否属于过敏体质，你的所有床上用品，都应该是低过敏性材质的。

尘螨孳生在地毯、衣服和床上用品中。它们喜欢潮湿的环境，以人脱落的皮屑为食。这些尘螨本身不会引发人体过敏反应，但它们的排泄物会。如果你的睡眠环境不够干净，每天就很可能躺在它们的排泄物中睡觉。

运动员有可能会倾向于用口呼吸，特别是在赛场上拼搏之时，因为他们需要尽可能多地吸入氧气。夜间，过敏原会影响呼吸，让人难以通过鼻腔呼吸，从而导致张口呼吸并发症——打鼾、睡眠呼吸暂停症、口干舌燥——有可能让人从睡眠中醒来。如果你使用低过敏性材质的床上用品——床垫、床垫套、床单、羽绒被、被套、枕头和枕套——那么它们会给你带来新的边际增益。

此外，你的床上用品应该是透气的，这样就不会受到温度变化的打扰。我们的被子里应该是凉爽宜人的。如果被子里过于闷热，就会扰乱睡眠。我使用的床上用品是采用纳米技术制成的，其材质是比头发丝还细得多的微纤维；枕头的材质也能让大脑保持凉爽冷静；羽绒被是透气型轻薄款的，同时也有必备的隔热层。供运动员使用的一体化羽绒被，和商店中出售的一样，由两条羽绒被组成。冬季两条羽绒被同时使用，能提供13.5的保暖系数；夏季和春秋季，可以把两条羽绒被分开使用，其保暖系数分别为4.5和9.0。在特别炎热的天气，可以只盖被套。这样你就有了四种选择，可以更好地控制体温，而不是一年到头都盖着同一厚度的一条羽绒被。各个宾馆房间的温度未必完全相同，如果一位赛车手来到房间中后，觉得卧室有点热，就可以调换羽绒被。

被单和枕套都是白色的，白色显得干净、中性。羽绒被非常轻薄，可以机洗，因此更加方便。你可以按照这一方式，准备你的家用寝具套装。很多人从未干洗或替换过他们的被子，都是脏兮兮的，沾满污渍，质量早已下滑，保暖指数大打折扣。你没有理由盖这样的被子。

床上用品保持清洁，实际上对人体大有裨益。我花了好长时间，才鼓起足够的勇气将这个想法告诉马特·帕克和英国自行车队——应该让自行车手每晚都用上干净的被单和枕套。

这并不涉及什么高深的科学知识。我只知道，当床上的被单和枕套干干净净时，我就会期待上床睡觉。干净、凉爽——一个多么受欢迎的环境，上床后会立马放松下来。这是一种心理作用——在干净的被窝里，我能马上睡着，美美地睡上一晚。所以，为何不让每个晚上，都变得如此美妙呢？谢天谢地，马特认同我的观点，并马上开始实施——即使这意味着，我们得把用来清洗赛车手的赛车装备的洗衣机也搬上车。

此外，这些床上用品得是速干的，这样就排除了埃及棉。但由于我们的床上用品是用低过敏性的微纤维制的，这也不成问题。这种材质可以在低温下清洗并迅速变干。让那些在山间驰骋、劳累了一天的骑手，几乎每晚都能使用干净的被单和枕套。有时这些小事儿并不小。

一些小小的改变，就能让你的生活受益匪浅。拆下被单和枕套，清洗干净，再铺上去。显然没人觉得，天天洗晒床单，是一件特别有趣的事。但是你多久洗一次床单？如果你两周洗一次，为何不改成一周洗一次？勤洗床单，你就会尝到甜头。只要稍微勤快一点，你就能睡在干净的床单上，你的床也会变得更有吸引力。换床单也应该成为一项睡眠前的例行程序。

鉴于 R90 寝具套装采用的是人造材料，要让那些更有环保意识的读者选用这种材料，准备自己的寝具套装，他们可能会觉得不习惯。在竞技比赛时，我们最感兴趣的是金牌和领奖台上的制高点，其次才会关注环境。但这并不是说，在竞技场外，我们也不在乎环境——我采取各种措施，避免对自然界烙下印记。地球的生态系统非常脆弱。在未来，随着睡眠科学的发展，充气床垫等寝具都有可能会更新换代。说不定我们只要一条床单，就能控制温度、舒适睡眠。

但目前，显然人造材料更佳。纳米技术能制造出比任何自然物微小得多的纤维，这种纤维透气、速干，是其他材质无法超越的。如果你不习惯使用这种材质，或非得用埃及棉不可，那么可以选择织物密度在 300 上下的埃及棉，这种密度的透气性能是最佳的。而且，如果没有选用低过敏性材质，你应该更频繁地更换枕头和被子。和床垫一样，一个价格不高、软硬适中、经常替换的枕头，比一个打算用上好几年、又贵又不适合的枕头好得多。

## - 上床睡觉 -

你应该清醒地看到，单件物品的效用必然是有限的。但是，如果你能照着这些方法建立自己的家用寝具套装，并辅之以 R90 方案中的其他内容，注重一切关于睡眠的细节，那么你的睡眠和修复状况就能全面革新。

便携式寝具套装对天空车队选手们的效用是惊人的。以前，你会看到那些选手毫无目的地转来转去、推迟上床的时间——也许他们会做个按摩或者讨论战略战术——现在他们会快速处理好一切，然后直奔自己的卧室。

他们知道，白天自己已经在崇山峻岭之间骑行了 200 公里，耗费了大量体能，现在可以上楼，以胎儿姿势躺在他们的寝具上，轻轻用鼻腔呼吸，进入一个个睡眠周期。

如果你能为自己准备好一套适用的寝具，也能拥有这样的自信，不用再像本章开头的那对年轻夫妇一样盲目地购置寝具，不用再因为睡不舒服在床上翻来覆去，也不用俯卧、仰卧、侧卧地忙着变换各种睡姿了。

你将确信无疑地知道，你可以以胎儿的姿势侧睡，闭上双眼，用鼻呼吸。接着，你就睡着了。

**寝具套装：智慧睡眠的 7 个要点**

1. 学会以胎儿姿势睡眠，躺向非主要的身体一侧（惯用左手的人向右侧睡，惯用右手的人向左侧睡）。

2. 检测床垫，了解什么样的床垫对你来说软硬适中。让你的伴侣也这样做。

3. 循序渐进：7 年间分两次各花 500 英镑在你的床垫上，而不是一次花 1000 英镑。可以考虑购买能够经常换洗的床垫。

4. 使用低过敏性、透气舒适的床上用品，无论你是否属于过敏体质。避免潜在的睡眠障碍因素，并注意调节好温度。

5. 床的尺寸很重要——能买多大，就买多大。特大号床垫是值得一对儿夫妇考虑的最小型号（只要卧室中放得下）。双人床是给一个人睡的。

6. 不要盲目购置寝具！可以根据销售人员的介绍，了解你能买到什么样的寝具。但在做出最后决定时，记得运用你在本章中学到的知识。

7. 记住床垫和床架重要性比率：你可以把 100% 的预算全部花在购置床垫上，因为床架主要是装饰性的。

# 07

# 修复室

——

## 睡眠环境

毫无疑问，罗伊·雷斯是史上最大名鼎鼎的虚构足球手（在漫画书中）。梅尔切斯特流浪者队邀请我和队员们聊聊睡眠，于是，罗伊邀请我去他家看看他的睡眠环境怎样，我可乐意帮忙了。毕竟，谁能拒绝流浪者队的罗伊呢？

　　罗伊的宅邸和大多数足球手的宅邸大同小异：超级完善的安保设施和闭路电视监控系统，足以让诺克斯堡相形见绌。门前的车道上停着一辆跑车，大门很宽敞，各个房间都经过了室内设计师的精心设计，摆放着高级的定制家具和艺术品，每个房间都配备着最新款的平板电视和音响设备，到处都是各种新潮的小玩意儿。一般人也许会对他们的奢侈生活颇有微词，但我觉得，这些顶级的职业足球手的确挣很多钱，但同时也面临着巨大的压力，隐私也会受到侵扰，他们怎么就不能享受享受呢？

　　我直奔主题，让罗伊带我去他的卧室看看。在足球手看来，更衣室是一个神圣的地方，那么卧室呢？那些允许我进入他们卧室的人，是想让我查看一下他们的卧室环境究竟如何，他们将在这儿度过他们最脆弱（睡眠时）、通常也是他们最私密的时光（和伴侣温存时）。

房间显然已经叫人打扫过了。谁都不想让别人看到卧室地板上的睡衣或者零乱的床铺，留下糟糕的印象。因此我不可能看到他真实的日常生活环境，但所看到的也足以让我做出一些判断。

我立刻看到了床脚边巨大的宽屏电视机，只需按下一个按钮，电视机就会自动弹出并竖起，还配有高级的环绕立体声扬声器，足以在卧室中营造出影院式的效果。"可以用这玩意儿看《速度与激情》。"罗伊笑着说。

此外还有一台游戏机。卧室的其他地方也装配着各种高科技产品。到处都是智能手机扩展坞、笔记本电脑和平板电脑，还有一排时髦的备用灯，把房间照得雪亮。我注意到，床边有一台过滤饮水机。床本身也很大——特别定制的尺寸，比通常的特大号还大。这是罗伊和他妻子两人的寝具，他的妻子是一个模特，绝对属于外胚层体型，而罗伊自己是标准的中胚层体型。我看了看床垫，这是一张价格不菲的床垫，密布着弹簧和马鬃。床垫上铺着西伯利亚天鹅绒羽绒被——他们晚上睡在这张床上一定很热。

说到这个，房间里也挺暖和的。我看了看墙上电子显示屏上的温度，竟然有 25 摄氏度。"你们一般都调到这个温度吗？"我问道。

"哦，是的，"罗伊说，"我妻子喜欢睡得暖和一点儿。"

床头堆着一大堆松软的枕头。窗前的百叶窗看起来挺不错，但关上时有点漏光。墙壁坚不可摧，在关上双层玻璃窗后，这个卧室的隔音性很好。我看了看通向卧室和卫浴间的两扇门，发现两扇门下的缝隙中都有点儿漏光。

我端详着这个房间时尚的配色，墙上那些色彩明亮、夺人眼球的艺术品，还有他的一顶顶英格兰棒球帽，这时雷斯太太在门口探了探脑袋，"要喝点什么吗？"她问道。到其他房间转转绝对是个好主意，因为这样可以更进一步了解主人在卧室之外的生活方式。但如果我主动提出来，会显得有点多管闲事。如果能受到主人邀请，就再好不过了。

我跟着雷斯一家离开卧室，来到超现代的厨房，厨房中各种设备应有尽有，足以穷尽你的想象，其中还有一台高级的浓缩咖啡机。"这东西不错。"我说道。

"我喜欢每天上火车前喝一大杯双份浓缩咖啡，"罗伊说，"它让我一整天精力充沛，要来一杯吗？"而我在想，除了这一大杯咖啡外，他到了俱乐部后，还会大喝咖啡、大嚼口香糖。

"给我单份的就好，罗伊。"

## - 睡眠圣地 -

罗伊·雷斯并非是足球手中的特例——而且，不仅仅是那些世界顶级运动员，普通人的卧室，也往往是这样的。

一个顶级英超足球运动员，也许可以肆意花钱布置这样一个豪奢的卧室，但这个卧室反而妨碍了他的睡眠。然而事实上，奢侈并不是罪魁祸首。我走到任何一个奥运选手的半独立式的家中，都能一眼看出他的一些寻常物品是如何妨碍着他的睡眠：便携式电视机上的待机指示灯一直亮着；智能手机的充电器一直插在床边的插座中；薄薄的、透明的窗帘没有完全遮光；床头柜上放着水杯；书架上堆满了经典恐怖片和惊悚片光碟。

你也许会想，这其中的某件物品，怎么会影响睡眠呢？但是，如果将你的卧室和昼夜节律一章中的那个岛屿——还记得吗，我俩围着篝火而坐——做一番对比，就能明白现在的睡眠环境离理想状态相距多远。

曾经，我们的卧室就是一个卧室而已：卧室中放着一张床和家具，比如衣橱、橱柜、床头柜，也许还有一张梳妆台或一张书桌。孩子们的卧室中有一些玩具。有的卧室中还放着一些书。当然，还有闹钟和灯。但是，科技的进步改变了这一切。我们首先让电视机进了卧室，而现在各种先进设备应有尽有，我们能舒舒服服地躺在床上看电影、听音乐、通过社交媒体互动交流、玩视频游戏。实际上，我们的卧室变成了一个额外的生活空间，而不再是一个用来睡觉的房间。

对一些人来说，这就是无法改变的生活现实。青少年们总喜欢把他们的卧室开辟成一个没有父母干涉的圣地，可以自由自在地沉湎于自己的世界中（但愿他们也会在卧室里写点儿作业）。住在学生公寓或合租房中的大学生们，睡眠、学习、玩乐都在一个房间里，他们只能将就。事实上，出于资金方面的考虑，很多人在20多岁甚至30多岁时仍然与人合租房间，因为他们还处于职业生涯的起步阶段。但我们现在看到的现象是，很多40多岁甚至年龄更大的人，尽管他们的收入不低、职业不错，仍然在过着这样的生活，因为城市中的房屋买卖和租赁市场已经失控了，特别是在伦敦和纽约这样一些大城市的中心城区。

和边际增益的原理一样，我们的目标是除去尽可能多的潜在障碍，以获得更优质的睡眠。如果无法除去这些潜在障碍——比如，罗伊·雷斯并不准备放弃在床上看《速度与激情》的生活，那么至少应该学会如何控制这些因素带来的影响。

我们已经聊过了卧室中最重要的物品——寝具，但是如果你的环境不对劲儿，那么就算寝具再合适也同样于事无补。如果我们想从R90方案获得最大收益，就让卧室成为睡眠圣地——一个身体和心灵的修复之所。

## - 挪走杂物 -

2004 年，我准备跟随英格兰代表队前往葡萄牙参加 2004 年
欧洲足球锦标赛。原因是我很清楚，我对他们旅馆房间所能施加
的影响，绝对比对他们家中卧室所能施加的影响更大。

在整个比赛过程中，英格兰足球队会始终住在同一家宾馆
中。几年后我随自行车队参加车赛时，我们得不停迁徙——每天
晚上都得适应新的环境。但这次并不需要。这样一个方便掌控、
恒定不变的环境，绝对是一个让选手们睡个好觉、实现最佳修复
的好机会。球队经理斯文－戈兰·埃里克森和随队医生列夫·斯
沃德同意了我的建议，于是我提前去里斯本做准备。

他们带上了自己的"床"——媒体忍俊不禁地宣称（事实上，
它们是我的寝具套装的初级版——定制的黏弹床垫。在当时，这
种东西还没有像现在一样普遍），而宾馆房间就像一块空白画布。
我们将在这块画布上，为运动员们画出最完美的睡眠环境。

当然，在我布置这些房间时，英国足球协会也不遗余力地保
护着将要入住其中的选手们的隐私。这支英格兰球队可谓星光璀
璨，不乏大卫·贝克汉姆、史蒂文·杰拉德等巨星，还有当时还
非常年轻的韦恩·鲁尼。此外，斯文自己也是一众媒体关注的焦
点。所以，他们在宾馆周边种满了高达 30 英尺的冷杉树，防止狗
仔队偷拍。

除了新床和高树之外，他们还准备好了自动售货机、各式大厨，还有各种美食，以满足选手们的用餐需要——我从没有见过这样的阵仗，那些宾馆工作人员显然也没见过。但这个地方的确成了一个热点。这支众星云集的球队，完全有可能在这次比赛中夺冠。而掌控他们的睡眠环境，完全有可能带来边际增益。

如今，不少足球俱乐部都非常重视这个问题。皇家马德里队的每位球员，都在他们训练基地的豪华住所中拥有一套公寓，只有球员自己的指纹才能够打开房间的门。每套公寓中配备着高级卫浴间、床和电视机。曼城队也在斥资2亿欧元打造的训练基地中为选手们准备了房间。在奢侈程度上，他们的公寓比不上皇家马德里队的公寓，但我希望我已经在之前阐明了我的观点——设施是否达到五星级，对睡眠修复并不重要。运动科学界的领军人物萨姆·埃利斯邀请我在这个设施一流的训练基地中，给运动员们提供睡眠咨询。这些房间具备让选手们获得最佳恢复的一切元素。

这些房间有诸多益处，除了让选手们在训练间隙休息之外，更重要的是能在进行主场比赛（或固定的客场比赛，如果比赛地点就在附近的俱乐部中，比如曼联）之前，控制选手们的睡眠环境，将影响比赛的妨碍因素减到最少。比赛的前一晚，曼联队的球员们会睡在训练基地的公寓中。因此，他们起床后就全都到齐了，准备吃早饭、参加比赛，而无需从家中赶到训练基地，也不会遇到什么意外情况导致比赛迟到。而且，由于这里并不是宾馆，也不必担心宾馆的员工或旅客会影响环境。一切都在俱乐部的掌控之下。

晚上主场比赛结束之后，这些房间也能派上用场。这就是说，比赛结束后，等球员结束媒体采访、冲完淋浴、换好衣服，再和足球经理谈上几句或让按摩师按摩片刻后，他不必拖着疲倦的身体驾车回家，导致当晚睡眠不足。他可以直奔他在训练基地中的公寓房，完成睡眠前例行程序，然后好好休息。

我们也可以在自己家中效仿曼城队或皇家马德里队的做法。尽管指纹门禁技术对大多数人来说不太现实，但我们至少可以创建自己的空白画布，也就是说，把所有杂物都移出你的卧室。如果你觉得有必要，真的可以这样做。但也可以在想象中，移除卧室中的所有杂物。

## 一个空壳

这个空空如也的房间，现在不再是你的卧室了，也不再是你生活空间的延伸。从现在开始，它将成为你身体和心灵的修复室。

我的第一条建议是，把墙壁涂成白色，不要在墙壁上挂任何东西。墙上鲜艳的色彩或图片有可能带来刺激，我们不需要这样的刺激。朴素、清爽、中性的布置是最佳的。

现在，我们试着通过窗帘或百叶窗，控制一个会影响我们的昼夜节律的关键因素——光线。人体会在黑暗环境下分泌褪黑素，所以我们的修复室不应该受到周围光线——比如路灯——的干扰。一片漆黑是最理想的。但戴上眼罩却并不理想，因为眼罩会带来不适，干扰睡眠。如果你的窗帘或百叶窗的缝隙漏光，或者过于轻薄透明，那么更换它会是一个明智之选。遮光卷帘比较实惠，此外还有更低廉的替代品：你可以用胶带把窗帘封上，或者用维克罗粘扣带，在夜间将容易拆卸的遮光材质粘在窗帘上。在环法自行车赛时，我们把黑色的垃圾袋粘在窗户上，早上取下它们也非常方便。

当然，早上我们需要阳光。因此，当你在固定的起床时间醒来后，应该立即拉开窗帘或百叶窗，让身体开始分泌血清素，这点很关键。如果夏天到来时，阳光从缝隙中照进屋内，你很可能会发现自己竟然在清晨 5 点就醒来了，而不是在你固定的起床时间——早上 7 点——醒来。遮挡光线能帮你控制这一点。

**温度控制**

温度是除了光线之外的第二大关键因素。适宜的温度能让我们的昼夜节律充分发挥效应，从而快速进入睡眠状态。我们的身体需要切换到一个更凉爽（但并不寒冷）的环境中，正如在昼夜节律一章中的那座岛屿上，我们会在睡前离开篝火边一样。因此，让房间保持在 16～18 摄氏度是最理想的，最符合这一自然进程。当然，不同的人对温度的敏感度不同。有的人可能会觉得，18 摄氏度简直和睡在室外差不多。所以，试着找到你（和你的伴侣）能够适应并且比家中其他房间略冷一些的卧室室温。如果你家有供暖系统，那么只要略加调节一下就行。对于其他人来说也很简单，你只需在上床前一个小时打开窗户或者关掉卧室的取暖器即可（其他房间的供暖设备可以继续开着）。无论气温如何，由温暖向凉爽的过渡是舒适睡眠的关键。

**放回必需品**

要放回到修复室中的第一样东西，当然就是你的寝具。唯有寝具和随后马上要拿回来的闹钟，才是必须放回这个房间的必需品。从睡眠修复的角度来说，其他一切物品都是不必要的。

如果有条件，把你的衣服、衣橱和别的橱柜——这些对睡眠没用的东西——都放在别处。但对大多数人来说，这不太现实，所以我们得把这些东西也搬回卧室。究竟什么是必需品，是因人而异的。对学生来说，书桌和学习空间是必需的。但如果可以选择，最好别在卧室中学习。

如果你是一个在家工作者，办公桌在卧室中，不妨试着去餐桌边工作，如果条件允许的话。这样，大脑就不会把修复室和工作联想到一起。如果在卧室的书架上堆满了惊悚读物和恐怖小说，那么你可以试想一下，如果在睡前看了这些书，那么将给大脑带来什么样的刺激。这样的书无法让大脑平静、放松下来。

晚上放一杯水在卧室中，似乎相当规范，并且无伤大雅。可是你为什么需要这杯水呢？如果你在半夜醒来时觉得口干舌燥，那很可能是用口腔呼吸（而不是鼻腔）造成的。此外，如果你需要在半夜起床去洗手间，很可能是因为睡前喝了太多的水。在床边放一杯水，会让大脑产生想要喝水的念头。

你只希望大脑把这个房间和一件事情联系起来：就是睡眠。

## 电子设备发起袭击

你的修复室需要的是一个闹钟——一台模拟日出自然唤醒灯更加理想——而不是你的手机。别的电子设备也不需要。

模拟日出自然唤醒灯能根据你设的闹铃时间，提前 30 分钟模拟日出，将你逐渐唤醒。不仅那些季节性情绪失调患者用得着它，那些希望能够复制日出过程、自然而然地醒来的人也同样用得着它。日出自然唤醒灯能提高灵敏度、认知能力和体能[1]，冬季使用日出自然唤醒灯，与直接起床或按下止闹按钮的效果大相径庭。

在一个完全遮光的房间中，它是最有效的唤醒你的方式，让你可以起床打开百叶窗，让自然光照入房间中。

这种灯并不贵——如果是飞利浦或卢米等知名品牌，买个基本款就可以了。如果你不想买灯，也可以使用一个标准的闹钟，不过要记得关闭亮光显示功能，这样闹钟的亮光就不会在夜间打扰你（如果选择类似产品，确保闹钟不会发出嘀嗒声，让你睡不着）。

光线是关键。如果你的房间灯火通明，那么遮挡户外的一切人造光就失去意义了。从你把电视机、手机等设备拿回房间的那一刻，就将光源带入了卧室。你的睡眠前例行程序中，应该包括在即将进入睡眠状态之前停止使用一切电子产品。但是如果实在无法做到不在床上看电视、用电脑或玩游戏的话，那么为了你的睡眠，也至少该在结束后做一件事——把电子设备完全关闭，而不是按下待机键。待机灯发出的亮光就像一道激光，穿透一切，一直射向你的松果体，并干扰褪黑激素的分泌。

然而，晚上最影响睡眠的电子设备，非智能手机莫属。根据英国通信管理局（英国的通信管理部门）的报告，每10个智能手机使用者中，就有4个承认半夜被手机吵醒后会使用手机。[2] 此外，即便使用者已将手机调到了静音，手机射出的人造光仍然是个问题。如果你在睡前实在无法离开手机，试着根据我们在日间小睡一章中提到的"脱离电子设备"之法，逐步养成睡前不用手机的好习惯。最起码，在睡眠时远离手机，把手机放在别的房间中，或干脆关机。你会错过什么呢？即便是最喜欢社交媒体的人，也不可能一边睡觉一边继续社交。

## 保持清洁

职业自行车手是一群非常敏感的家伙——我指的是，他们对环境非常敏感。如果一只讨厌的臭虫骚扰了他们，将严重影响他们的表现。所以，每天晚上，在他们抵达宾馆之前，我们会进入他们的房间，把一台高效空气过滤器放在房间里，除去空气中的浮尘，接着用手动真空吸尘器和抗菌清洁用品彻底打扫地面，特别是那些宾馆清洁工容易忽略的隐蔽角落。正如我之前所说，职业自行车赛的世界，是非常光鲜的。

当然，你不需要这样的洁癖。不过，让你的睡眠修复室保持清洁，仍然很有必要。谁不想呼吸洁净的空气？和干净的床上用品一样，洁净的空气能让你的大脑在潜意识层面感到放心，它会知道你将在洁净的环境中睡眠。尘螨生活在地毯上和寝具中，如果你属于敏感体质，那么可以购置一台无声无光的高效空气过滤器，它能帮助你在每晚安然入睡，直到进入深睡眠。

一个整洁的环境同样有助于睡眠。俗话说："如果桌上乱糟糟，就代表头脑也乱糟糟的话，那么如果桌上空空如也呢？"然而，一个已经在睡前整理完所有思绪、空空如也的大脑，却是睡

148

前最需要的。如果地板上堆满了衣服，桌上堆满了杂物，那么就会刺激大脑神经，尽管对有些人来说，整洁就是把衣服堆放在地板上的某一角落中。

## 噪声控制

噪声是将我们从浅睡眠中吵醒的一大因素。在你处于浅睡眠阶段时，如果有人叫你的名字，或者"砰"的一声关上了门，那么你多半会被吵醒。适当的隔音措施，比如安装双层玻璃窗，能很好地隔离户外的噪声。但那些租房的人就不幸了，他们只能有什么用什么。此外，有些公寓的地板及天花板的隔音效果很糟糕（你能听到邻居在半夜起床走来走去），生活在这些公寓中的家伙更加不幸。

在这种情况下，想要隔音也许得花一大笔钱，因此耳机成了许多人的救命稻草。耳塞能起到一定的效果，但同时也会带来不适，干扰睡眠。

然而有些噪声反而有助于睡眠。韦恩·鲁尼在他2006年的自传中承认，他需要听到真空除尘器或吹风机发出的声音，才能睡着。听上去有点怪，但其实许多人都是这样——不少人发现，空调的嗡鸣声，还有车开过的声音（如果他们家离马路很近），简直是必不可少的。这种声音起到了白噪声的作用。白噪声能帮助遮盖高低起伏的环境噪声，如果没有白噪声，环境噪声就会打扰韦恩·鲁尼这些人的睡眠。你可以从网上下载一些白噪声，放在卧室中使用，因为真空除尘器或吹风机生产厂家，不会建议你整晚开着他们的设备。

## 营造安全感

修复室所起到的最重要的作用——其重要性甚至超出了明暗切换和温度循环——是给我们带来安全感。在修复室中，我们需要有安全感和放松感，这样才能轻松入睡并获得良好休息。我们即将进入我们最脆弱的状态——睡眠状态，因此，减少恐惧感和焦虑感才是最重要的。

我们可以通过多种方式来营造安全感。比如，把锁上家中的所有门窗纳入你的睡眠前例行程序。也可以让一些更加私密的东西帮助你，比如在床边放一张爱人的照片，或者裹上你最喜欢的"安乐毯"睡觉。无论这个物品是什么，它都应该能给你带来足够的安全感，这样你的大脑才会放松警惕，安然进入睡眠周期。在你的修复室中，这样的东西也是受欢迎的。我们也给那些优秀运动员提供这样的一些物品。如果哪位选手必须抱着他最喜欢的泰迪熊才能安然入睡，那么我们就把泰迪熊给他送去。只要是能为他们带来最有安全感的睡眠环境、能让他们顺利进入睡眠状态的任何物品，我们都不会反对。

**睡眠环境：智慧睡眠的 7 个要点**

1. 你的卧室不应该成为你生活空间的延伸。如果可以的话，把它重新命名为你的身心修复室。

2. 清空你的房间（哪怕只在你的脑海中），只把睡眠、修复、休息所必需的东西拿回房间。

3. 让你的房间隔离外界光源，这样室外的光线就不会干扰你的睡眠。

4. 让你的房间比家中其他地方更凉爽，但不是更寒冷。

5. 你的房间能给你带来安全感——放上你最爱的泰迪熊或者爱人的照片，或者再次去查看一下门窗是否锁好，都有助于营造安全感。

6. 让房间的装饰风格保持中性，保持房间洁净，避免任何可能刺激大脑的东西（色彩鲜明的图片，或让你产生可怕联想的书籍）。

7. 控制房间中电子设备的使用——在夜间关闭待机灯。把手机拿出房间，或至少放在你看不见的地方（并设置成静音）。

# PART 2

# R 9 0

# In Action

# 第 二 部 分

# R 9 0

# 在 行 动

# 08

# 把握先机

——

利用 R90 修复方案

2016 年 3 月，我们把 30 套寝具分别打包装箱、搬到船上。这些箱子所占的体积只有一张弹簧床垫的几分之一。它们将横渡大西洋，运往奥运会举办地——里约热内卢。运动员们要到 8 月才参加比赛，但奥运会是全球最盛大的体育赛事，安全等级很高，所有运往奥运村的物品都要报批。如果没有获得预先批准，那么你休想把一辆场地自行车送入奥运村。

　　因此，我们早在 12 个月前就开始忙碌起来了。说实话，里约的奥运筹备工作简直是一团糟，我们没能打探到多少消息。但这时我们已经知道，运动员睡的床是什么样的——单人床，安排给身材特别高大的运动员的床会加长 30 厘米，床垫就像石头一样坚硬。我们知道里约到时候一定很热。我们还发现，房间里没有配置标准的空调，目前他们正在用一些便携式空调设备予以补救。

　　海员们已经在上一年的 8 月去过里约，他们说那边的海水严重污染，脏得让人难以置信。但无论一届奥运会的筹备工作有多糟糕，到最后奥运会总是能成功举办，里约奥运会一定也不会例外。他们会在最后一分钟搞定一切。

　　当时还传出了其他负面消息：药物丑闻、政治危机，还有让人忧心的寨卡病毒。这些都是我们无法控制的。我们只能在能够掌控的方面多多努力，对我而言，就是尽力改善运动员们的睡眠环境。对于其他团队，我们同样鞭长莫及，并且对他们的计划方案一无所知。但我们历经数月精心准备，已经考虑到了方方面面。也就是说，为了能有一个好的开端，占得先机，大家已经竭尽全力。

## - 休整计划 -

通过综合七大睡眠修复的关键指标，形成 R90 方案，普通人也能把握先机。我们的每一天，不再由工作、回家、玩乐、一段无法确定时长的睡眠所组成，而是被分解成了一个个时长 90 分钟的周期，从而实现动与静、活动与休整的平衡。

固定的起床时间，就像一根铁锚串起了你的一天。下页图表中的起床时间是早上 6 点半，当然，你可以自行选择你的起床时间，然后根据时长 90 分钟的睡眠周期往后推算，就能确定你的入睡时间。每晚获得 5 个睡眠周期是最理想的。如果你 6 点半起床，那么就该在晚上 11 点入睡。如果必须晚睡的话，也可以推迟到凌晨 12 点半，甚至还可以推迟到凌晨 2 点。不必担心睡眠不足，因为这只是一周 7 个晚上中的一个。而且睡眠前和睡眠后的 90 分钟例行程序，还有受控的修复室、量身定做的寝具，都能帮助你获得满意的睡眠质量。白天，每过 90 分钟休息片刻，到外面散散步，暂时远离电子设备，去上个洗手间，或者去喝杯饮料。白天有两个休憩时机可以帮助到你，你可以在午后插入一个 90 分钟或 30 分钟时长的可控修复期，也可以在傍晚插入一个 30 分钟的可控修复期。这一切都在你的掌控之中。

此外，你可以把目光放长远些，不要只关注一天的时光，而是展望更长的一段时期，把一天的安排当成一周日程的组成部分。这样你就知道，如果每晚需要 5 个睡眠周期，那么你一周共需要 35 个睡眠周期。减少到 28 个睡眠周期，或许也没问题。但再少的话，你就会吃不消——你的健康有可能会亮起红灯。你可以非常简单地记上一笔，可以在日志中，记下一些可以测量的简单数据。

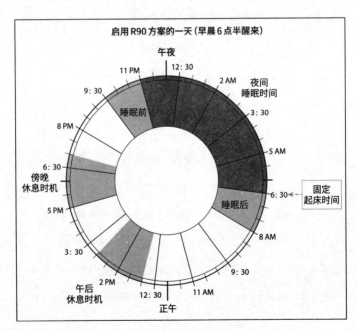

启用 R90 方案的一天（早晨 6 点半醒来）

## 杰丝的睡眠日志

|  | 活动 | 睡眠周期 |
|---|---|---|
| 星期一 | 准备发言稿，工作到很晚 | 可控修复期：<br>夜间：4 |
| 星期二 | 下班后和姑娘们聚餐 | 可控修复期：1（午后 30 分钟）<br>夜间：4 |
| 星期三 | 跑步俱乐部 | 可控修复期：1（午后 30 分钟）<br>夜间：4 |
| 星期四 | 卡尔的离职告别酒会 | 可控修复期：1（傍晚 30 分钟）<br>夜间：3 |
| 星期五 |  | 可控修复期：<br>夜间：5 |
| 星期六 | 家中的派对 | 可控修复期：1（傍晚 30 分钟）<br>夜间：2 |
| 星期日 | 9 点看电影 | 可控修复期：1（午后 90 分钟）<br>夜间：4 |

杰丝周一到周五在办公室上班，她的理想安排是一周 35 个睡眠周期。在这个星期中，她获得了 31 个睡眠周期，周六晚上才获得了 2 个睡眠周期，因此，星期天早上在固定的起床时间 6 点半醒来时，她一定会觉得睡眠不足、困倦难受。但她处理得非常明智。她照常起床，吃了早餐，出门散了一会儿步，然后回家躺在沙发上，带着些许的负罪感，看会儿她最喜欢的电视。午后休憩时机到了，今天没有工作的干扰，她拉上了卧室的百叶窗，设好闹钟，然后躺在寝具上小睡了 90 分钟，插入了一个可控修复期。

在这一周中，她有四天获得了理想的 5 个睡眠周期。并且，在连续两晚睡眠不足后，她在第三晚睡足了 5 个周期。如果我在给她咨询，那么杰丝的睡眠日志中没什么让我特别担心的地方。但是，如果在这一周结束之后，她觉得自己比往常更累一些，那么只要看看这份睡眠日志，就会明白原因何在。她可以试着在下周做出一些改变，获得更多的睡眠周期，看看日程安排中有哪些活动可以舍弃，从而更好地协调自己的作息时间。去跑步俱乐部健身，是她最主要的锻炼，因此是不可舍弃的。另外，如果派对上大伙玩得高兴，谁愿意早早离开呢？但也许她可以取消周日看电影的活动，或者下次选个更早的观影时间。另外，她可以想方设法，更频繁地利用日间休憩时机小睡片刻。

一旦知道能够用这样的方式掌控睡眠，你就将拥有更多的自信，相信自己能够掌控局面。你的手头就有可测量的数据供你做出调整，这些调整能让你的感觉和表现变得更棒。你开始预先计划未来的一周，安排好你的修复时段，并预测你将获得的睡眠周期。这些睡眠够了吗？你能在这儿或者那儿，再插入一个可控修复期吗？当然，计划赶不上变化，计划变动、新的社交机会和工作需求会接踵而至，但你可以随机应变。你可以改变你的入睡时间、再插入一个可控修复期、利用好每隔 90 分钟的休息片段、照射充足阳光或购置一盏日光灯，以便时刻把握先机。你完全可以提早准备，让一切都在你的掌控之下。

那些没有利用 R90 方案把握先机的人，仍然糊里糊涂地不知如何通过睡眠获得修复。他们感到疲惫倦怠，虽然知道自己睡眠不足，但有什么办法呢？他们没有任何测算实际睡眠时长的措施，也没有掌握正确的方法。你拥有能改善睡眠质量的寝具和修复室，但他们没有。他们也许会为了多躺一会儿特意推迟闹铃时间，也许会比平时更早地上床，也许会在回家的火车上或办公桌边打盹儿，但这样做并非出于什么策略。他们并没有掌握什么工具能改善每天的生活，因此磕磕绊绊地过着每一天，跟着感觉走（需要更多休息＝睡更久时间），而实际上这是在帮倒忙。推迟起床时间、过早上床休息——这样做于事无补，所以别再这样做了。如果你需要更多的休息，那么就需要更智慧地计划好你的睡眠。

## - 健康饮食、经常锻炼，还有，睡个好觉 -

根据世界各国的政府、医生和卫生组织提供的信息，健康的生活方式包括充沛而均衡的营养、充足的体育锻炼。为了降低心脏病的患病率，美国心脏协会在 2013 年提供了一份膳食与生活方式指南。这份指南提出了详细的饮食和运动建议，并提醒人们注意烟酒的危害。[1]2014 年，世界卫生组织通过了《饮食、身体活动和健康全球战略》，目的是更好地应对癌症、肥胖症、2 型糖尿病等非传染性疾病。

这些出版物，还有无数其他的文献，都是出自一片好意，也向我们提出了极好的忠告，但是有一个问题：关于睡眠的内容在哪儿呢？鉴于科学家已经发现，心脏问题和睡眠情况存在关联[2]；此外，关于睡眠如何影响癌症、肥胖症和糖尿病的研究也在日益增多，是否应该把睡眠也纳入考虑呢？

睡眠修复理应成为健康生活方式的第三大组成部分。据我所知，遵循 R90 方案所能带来的功效，绝对不在另外两者之下。但是，唯有结合饮食和锻炼，R90 方案才能收到最理想的成效。如果你营养不良、缺乏锻炼，就会带来问题。合理的饮食和锻炼，有利于睡眠质量的提高。三者齐头并进，将给你的生活质量带来飞跃式的提高。

显然，我训练的那些运动员，都拥有非常健康的身体。他们的饮食均衡、节制，符合身体的需要。此外，他们往往是运动员中的佼佼者，心态也很积极向上，愿意付出努力，改善自己的睡眠。

20 世纪 90 年代，在我刚刚加入曼联时，瑞恩·吉格斯是较早对我的方案产生浓厚兴趣的选手之一。当时他还很年轻，还没有成为现在这个足球界无人不知无人不晓、喜欢练习瑜伽的瑞恩·吉格斯，但却乐于接受新理念、新想法，并有着强烈的求知欲，堪称运动员中的典范。采纳这一新理念、新想法，将助他在日后脱颖而出。与他年龄相仿的选手纷纷退役了，但他仍然驰骋赛场，立于不败之地。

事实上，那些优秀的运动员无不如此，比如皇家马德里队的格瑞斯·贝尔、克里斯蒂亚诺·罗纳尔多，还有布拉德利·威金斯、克里斯·霍伊。我也能预见，那些采用 R90 方案的年轻运动员将大有可为。如果你注重饮食和锻炼，并且已经看到了这里，你一定也会这样想。

## 饮食

如果说，R90 方案彻底革新了睡眠之道，那么将 R90 方案和合理的饮食方案相结合，一定会让你如虎添翼。很可能你的饮食已经很合理了。尽可能多地摄入各种新鲜食物，避免食用人工培育的、处理过的或添加了化学物质的食品，注意预防食物过敏，特别是注意控制食盐、糖（如果你没有睡好，你的身体会嗜恋甜食）、卡路里和咖啡因的摄入量……这些都是明智的好习惯。

适量补充水分也很重要。每个人的身体条件不同，而且一天中的活动量也会影响水分需求量，因此，不要因为最新、最权威的每日饮水推荐量是 2 升，就盲目地每天喝下 2 升水。运动员们可不会这样做。他们知道摄入的食物中含有水分，特别是在富含蔬果的饮食中，因此会据此做出调整。这并不是什么复杂的事，听从你身体的需求，在你口渴时喝水，并且定时喝水，特别是在运动之后尤其需要注意补充水分。在快要睡觉前，饮水量的多少尤为重要。如果喝下过多的水，你很可能会在半夜醒来。

色氨酸是一种非常重要的氨基酸，主要存在于富含蛋白质的食物中，比如鸡肉、火鸡、奶酪、鱼、香蕉、牛奶和坚果。色氨酸是人体分泌血清素、褪黑素所必需的，因此你需要通过饮食摄入充足的色氨酸。

蒙特莫伦西酸樱桃是一种最近在体育界颇为流行的生物补充剂。这种樱桃和超市中售卖的樱桃不一样，主要出产于美国，你可以在网上或保健品商店中买到这种樱桃做成的樱桃干或樱桃汁，但它绝对值得你大费周章地苦苦寻觅。诺桑比亚大学的格林·豪厄特森教授已经对此进行了多次研究，证明这种樱桃有利于高强度运动后的睡眠与身体修复。其中一项研究证明，这种樱桃能促进褪黑激素的分泌，"有助于提高健康人群的睡眠时长和质量，且有可能改善睡眠不良"。[3]

你应当争取在你的目标睡眠时间前的2个周期（3小时）前，最后一次进餐，并将最后一次吃零食的时间控制在睡前90分钟之前，也就是在你刚开始执行睡眠前例行程序的时候。吃得"太晚"指的就是，你的进餐时间太接近目标睡眠时间了。如果你的起床时间是早上6点半，而晚上9点时还在吃东西，那么应该减少一个睡眠周期，将晚上11点入睡改成凌晨12点半入睡。一切都在你的掌控之中，所以睡得晚了点儿也不是什么大问题。当然，如果你经常性地很晚才吃晚餐，那么这个习惯将会影响你的昼夜节律。

我们的身体喜欢固定与协调。你的昼夜节律会受到进餐次数的影响，因此也要协调一下这个方面。起床后一定要吃早餐，吃早餐能帮助你养成定时起床的习惯。记着，健康饮食未必意味着非得摄入那些助眠食物（当然，你必须避免摄入那些妨碍睡眠的食物），而是让你的饮食和良好睡眠习惯，还有锻炼彼此协调，从而每天都能达到最佳状态。

## 锻炼

也许在许多人看来，睡觉是一件理所当然的事。而对我来说，由于常常和运动员们打交道——要知道，运动就是他们的工作，我更容易把锻炼想象成一件理所当然的事。

我们已经说过，适当地进行锻炼是睡眠前后例行程序的有机组成部分，它们能让你为开始新的一天做好准备，也能让你睡得更香。俄勒冈州立大学的一项研究发现，每周进行 150 分钟的中强度锻炼，能让睡眠质量提高 65%。[4] 即便你并不了解这项研究，也一定明白锻炼的益处。如果我们在白天进行了体育锻炼，那么晚上躺在床上时，身体比平时更疲乏，一下子就睡着了。

在最近的二三十年中，西方社会已经真正形成了一种健身房文化。在英国，仅仅在 2015 年一年中，人们购买健身会员卡的消费额就增长了 44% 之多。许多我曾到会发言的运动和健身大会现场挤满了人，人们在蹦床上弹跳、骑健身脚踏车，为了追求完美身材如饥似渴地不断寻求着最新的健身用品、锻炼方法。这种对健身房的狂热让人吃惊，但其实健身房并不适合所有人，并且我们也无须如此狂热。

有的人就是和健身房八字不合。他们宁可练习瑜伽或普拉提，在户外锻炼，跑步、骑自行车、游泳，或者尝试其他新潮时髦的、充满异国情调的运动（包括瑜伽和普拉提，只要天气允许）。这些运动都很不错，特别是那些户外运动，户外锻炼能给我们带来充足的阳光（具体取决于你的运动时间）。

有些人进行体育锻炼、让自己身强体壮的目的，就是为了参加某一类体育竞技。职业运动员们当然属于这一类。那些足球手也许喜欢踢足球并以此谋生，但他们未必喜欢伴随足球生涯而来的集训和健身。退役的足球手和休赛期间的拳击手，由于每日的例行锻炼大幅减少而胖了许多的例子随处可见。而其他人多亏经常打高尔夫、莳花弄草或者每天牵狗散步，才得以保持健美的体型。即便是骑自行车上班，而不是坐公交车，也能让人保持健美。

我想说的是，积极锻炼身体，对人人都有益。经常运动还有另外一个好处是，在进行体育锻炼的时候，比如在跑步机上跑步或在游泳池中游泳时，给大脑一个休息的时间。如果能利用这段时间暂时告别电子产品片刻，那就更好了。这并不是说，即便你喜欢用手机的 Strava 测速软件测量你跑步或者骑自行车所取得的进展，也非得把手机抛在一边。我的意思是，只要别让手机打扰到你就行，此刻你应该暂时抛开外面的世界。

在睡觉前，最好不要进行剧烈运动，因为运动会让肾上腺素和心率飙升，你要过好一会儿才能平复下来。还有，如果你想刷新自己的个人最佳成绩，不要忘了你的昼夜节律——大多数田径和赛车比赛的世界纪录，都是在下午和晚上产生的。

在运动后获得睡眠和修复，同样至关重要。安排好睡眠、休整的时间，在需要时适当补充水分和食物并辅之以蒙特莫伦西这样的生物补充剂，这些都有利于运动后的修复。如果你激烈运动后出现四肢和关节疼痛，那么舒适的寝具就显得特别重要了。你的床垫必须足够柔软，否则会加剧你的疼痛，让你辗转难眠，或让你在第二天早上更加难受。另外，争取在夜间获得理想的睡眠周期，并在白天适当小睡休憩，也能有所帮助。

在美国，我和迈克尔·托雷斯有合作，他是一位健身专家。他所在的公司 SHIFT Performance 是人类绩效表现领域中的佼佼者。他说："随着时间流逝，我个人对身心修复的认识也在不断拓宽，从整合按摩疗法到监控睡眠、表现和压力，最近又进入了将睡眠看成身心修复过程的新阶段。"

"身心修复就像一个公分母，它影响着别的一切。长久以来，我们更倾向于把修复看成一个训练方案的组成元素，而不是什么独立于训练周期之外的东西。这代表着未来的方向。"

## - 电子梦 -

你在闹铃响起之前自然醒来，起床关了闹铃，打开遮光百叶窗。这是美好的一天，阳光灿烂。你去洗手间上厕所，然后去厨房做早餐，在户外享用早餐，听着鸟儿鸣叫，觉得自己正在阳光中逐渐醒来。你冲了个淋浴，准备去上班，觉得自己状态不错，非常清醒，得到了充足的休息，已经做好了迎接新一天的准备。你拿起智能手机，打开睡眠应用，看看昨晚的睡眠情况。应用软件显示你昨晚睡得很糟糕，大多都是浅睡眠，深睡眠严重缺乏。根据你的应用软件作出的判断，你这一天要报销了。

可穿戴式健身追踪器能记录你的健身数据，包括跑了多少步、消耗了多少卡路里，进行了什么样的锻炼。这些产品拥有巨大的市场潜力，据预测，到 2019 年，其销售额将达到 50 亿美元（2014 年达到 20 亿美元）。[1] 乐活（Fitbit）和卓棒（Jawbone）等一些品牌，已经家喻户晓。此外，苹果等公司也推波助澜，推出了运动手表，加入了这一市场，让人们对健身和健康数据记录的追逐，达到了空前的狂热。这些追踪器，还有林林总总的智能手机上的应用软件，都宣称能精准测量我们的睡眠状况。

利用电子数据是现代运动的要素之一。可穿戴式健身追踪器，

---

1　帕克斯联合公司的数据。

比如美国 Whoop 公司（他们的定位是打造专业运动产品）的产品有一定的用处，特别是，当运动员训练过度时，这些产品会发出潜在伤害预警。运动员们有时对使用这些产品颇有微词，因为他们无法完全掌控这些数据。但总体来说，他们会接受这些产品，把这看成是他们工作内容的一部分。

可是说到追踪睡眠数据，事情就没有这么简单了。职业运动员会理所当然地认为，工作之外的时间属于他们自己。让自己的睡眠受到监控，会让他们产生排斥心理。如果一位优秀运动员的男／女朋友来了，他们会早早上床，但实际上却睡得很晚。他们认为这是自己的事，和俱乐部或教练没有关系。这是他们的私人时间。因此，如果处理不当，运动员们有可能会觉得，他们的雇主想要控制他们的私生活。也许，当你想到一些一流体育明星的高收入时，你并不太同情他们这样的遭遇。但是，如果你的雇主让你戴上一个手环，并借此监控你每晚的睡眠情况的话，你会作何感想？事实上，这个问题比你想象中的更严重。因为这些健身追踪器的信息，有时甚至会用于法律诉讼之中。

在我培训运动员时，我会让他们在某一段时间里戴上这些设备，然后由我们（而非运动员自己）来收集数据。我们不希望，他们早上一醒来就为这些数据而忧心忡忡、疑虑重重，就像你不希望醒来时的美好心情被这些数据给破坏了一样。然后我们会根据这些数据，向运动员们提出一些切实有用的建议。正如我们会

169

充分利用健身数据一样，我们会利用这些可穿戴设备发现运动员的不良睡眠习惯。如果察觉出危及他们健康的因素、训练过度或原因不明的睡眠呼吸暂停，或者诸如此类的疾患，就可以及时进行干预。当然并不是去教训他们。

许多家用可穿戴式追踪器和睡眠应用软件的问题在于，它们实际上通过一个加速计提供信息，而这个加速计主要捕捉使用者的动作。睡眠时频繁地动来动去，即被判断为浅睡眠。没有任何动作，即被判断为深睡眠。另外，穿戴式追踪器至少能保证它所感知到的一切动作都是你发出的，而你的手机应用软件则连这点准确性都没有，因为它在你的床边。如果你的伴侣做了什么动作，会被它记录下来。如果你养的狗跳到了床上——你可别跟我说，你和你的狗共用一个睡眠修复室——也会被它忠实地记录下来。

但在作为教学工具这一点上，这些睡眠应用软件还是大有发展潜力的。我曾经帮助南安普顿足球俱乐部的球员和工作人员全面更新他们的手机应用软件，并且在问卷调查中引入新的内容，从而更全面地评估他们的睡眠习惯，并向他们提供量身定制、切实可行的建议，帮助他们进一步改善日程安排。

从某种程度上说，这些可穿戴式追踪器和睡眠监控技术有一定帮助，至少它们让大伙儿开始聊起睡眠这个话题，增进对睡眠的了解，多少了解了睡眠阶段以及深睡眠的重要性等基本知识。但事实上，一旦新鲜感开始消退，这些设备提供的信息几乎不会对人们的生活产生什么影响，于是人们渐渐地不再使用这些设备了。想象一下，如果你早晨醒来时觉得自己精力充沛，足以从容应对新的一天，而你的睡眠应用软件却显示这个晚上你睡得很糟糕，那么你会相信哪个？

只有多导睡眠脑电图——它能监控脑波活动、眼动情况和肌肉活动——才能准确地记录你的各个睡眠周期中的各个睡眠阶段。当然，这一设备要精密复杂得多，除了动作之外，它还能监测心率和体温。此外还有一种 Zeo 头戴式睡眠检测仪能测量大脑的电子信号，据说它能更精准地测量睡眠阶段，但这种产品现在买不到了。

事实是，尽管这一科技的确能为你提供一些睡眠状态的信息，但如果你真的想要改善睡眠质量，做出一些切实的改变，还是把钱花在别的产品——本书中已提到过这些产品了。你不妨升级一下你的寝具，购置一台模拟日出自然唤醒灯，换上能够完全遮光的百叶窗，给灯换上一个红外线灯泡，把钱花得更明智。此外，下载一个冥想应用软件，当然也比下载一个所谓的睡眠测评软件要管用得多。

## - 三驾马车齐头并进 -

每当我把睡眠、饮食和锻炼联系到一块儿时，我的脑海中总会浮现出这样的情景：在一片橄榄林中，一个意大利家庭围着餐桌而坐，沐浴在阳光中。餐桌上摆着各种新鲜的蔬果、一瓶红酒，还有一些奶酪和新鲜烘焙的面包。这是一个几世同堂的家庭，有孩童，有老人，老人坐在桌子的首席。尽管他似乎饱经沧桑，但仍然精神矍铄。他一边倒着酒，一边和孙辈们说笑着。随后，他会在树荫中打个盹儿。那么，你觉得他昨晚睡得好不好？

在这幅图景中，没有出现声音刺耳、光线炫目的健身房，只有一个普通的家庭，家庭成员在他们习惯的环境中，做着一些简单的事。事实上，你究竟生活在乡村的半独立住宅中，还是城市塔楼中的 20 层公寓中；你究竟是在办公室朝九晚五，还是在建筑工地上干活儿，其实都无所谓。每个人都可以有自己想象中的版本。你可以找到适合自己的锻炼和健身安排，可以为自己安排均衡、健康的饮食，不必过于执着——在你渴望的时候，仍然可以吃一块蛋糕、喝一杯酒。并且，你可以把 R90 方案融入你的生活中，让自己得到充分休息，过好每一天。要是做到了这些，你就会感觉好极了。

[ 09 ]

# 与敌同眠

——

## 各种睡眠问题

春天的气息弥漫在空中。得把时钟往前拨快了。最近，丽贝卡按照她的 R90 方案把起床时间提前到了早上 5 点。更让人惊讶的是，她即将每晚只睡 3 个睡眠周期。

在一开始，丽贝卡[1]很难适应。她在银行工作，工作压力很大，但所幸住所离工作地不远，步行可达，因此她可以在早上起床后、上班前先去健身房锻炼，积极地开始新的一天。可是现在她的工作地点换到了城市的另一头，通勤时间增加了好几倍，因此不再去健身房了。她实在没有时间。

丽贝卡的睡眠一直极度敏感，常常在夜间醒来，因为患有哮喘和过敏症等呼吸病症。她已经这个状态很久了。每日清晨去健身房锻炼，既能减压又能激发她的活力。现在，她不得已放弃了清晨的健身，每天的日子更难过了：疲劳乏力、急躁易怒、情绪低落、缺乏动力，越来越依赖咖啡因和甜甜的零食才能撑下去。

---

1 丽贝卡不是她的真实姓名，我没有透露我任何一个客户的姓名或身份，他们的具体情况也是保密的。

晚上，她越来越难以入睡，半夜醒来的次数更多，导致白天更加疲乏易怒、情绪低落、缺乏动力，形成了一个恶性循环。

她花了不少时间上网研究这些症状，也去看过医生，甚至还约了专家门诊。但他们并没有诊断出什么问题，也没有给她提供任何切实可用的对策或方子。她先后喝过草药茶、洗过舒缓浴、买过非处方助眠药物——还吃过安眠药。但这些都没什么帮助。最后，她的伴侣决定，在她的睡眠得到改善之前，先睡在沙发床上。

于是，她找到了我，我先让她填了一份 R90 睡眠评估问卷调查表。设计这份调查表，是为了全面了解调查对象的日常生活——他们在做什么、何时做、为何做。调查表中并非都是选择题，比如"你半夜会醒来多久？15 分钟？30 分钟？45 分钟？60 分钟？还是更久？"因为，说实话，谁能精确地回答这些问题呢？相反，我会问一些能用"是"或"否"简单回答的问题，比如"你了解昼夜节律吗？你知道自己属于哪种睡眠类型吗？你会在半夜醒来吗？"她也给我发来了她的床垫以及睡眠环境的照片。即便只是拍一张照片，大多数人也和第七章中的雷斯一家一样，会让他们的卧室看上去非常整洁、一尘不染。

我立马发现，她的卧室很大，但只有一张标准尺寸的双人床。"你有没有想过买张大点的床？"我问道。她使用的是一张袋装弹簧床垫，里面的填充物是天然材质。"为了你的哮喘，不妨考虑一下低过敏性的材质？"很快，她就了解了睡眠周期和昼夜节律，比之前乐观多了。接着，我们将使用这些知识，帮她改变人生。

她收起了那些助眠药物。她通常在早上 6 点起床、准备上班，并在晚上 10 点——在理想状态下——上床睡觉。但鉴于她属于早起星人，并且夏天快要到了，早上天亮得更早了，我们把她的固定起床时间定在了早上 5 点。这时太阳已经升起，因此对于一个早起星人来说，这时起床并没有什么不好。接着，我们按照 90 分钟时长的睡眠周期，向后推算她的入睡时间，凌晨 3 点半，凌晨 2 点，凌晨 12 点半，晚上 11 点。晚上 9 点半就睡觉不太好，因为随着时钟拨快，不用多久之后，9 点半时天还没完全黑下来，人体睡眠冲动和睡眠压力的峰值也会随之相应推迟。如果她需要 5 个睡眠周期，可以在日间小睡，或者将起床时间调整到早上 6 点半。

现在，她又能去健身房以正确的方式打开新的一天了。随之，她开始采用自己的 R90 方案，工作状态比以前好多了，精力也更充沛了。同时，她四处购物，为自己准备一套新的寝具，并开始更好地掌控自己的睡眠环境。她把计划入睡时间设定为晚上 11 点，到这个点儿，她已经很困了，很容易睡着，但即便这样，她仍然会在半夜醒来。她有没有想过，也许每晚 8 小时睡眠，实际上并不适合她？与其这样躺在床上辗转反侧，或许她该想想是不是并不需要睡这么久？也许她和远洋航行的水手、雅虎首席执行官玛丽莎·梅耶尔属于同一类人，天生需要的睡眠时间就比别人少？

因此，当她完全适应了新的起床时间后，我建议她试着在夜里 12 点半上床。她诧异极了——只睡 3 个睡眠周期？

## - 睡眠限制 -

当人们告诉我，他们会在半夜醒来并起床时，我立刻发现了问题。他们醒了 5 分钟还是 1 小时并不重要——我希望你压根儿不会在半夜醒来。

关于如何尽可能排除夜间的各个睡眠障碍、顺利地过渡到下一个睡眠周期，我们已在第一部分谈了不少。在本书中，我们已经多次谈到，担心自己睡不着觉，就真的有可能睡不着，用更长远的眼光看待这个问题并了解可以采取措施予以补救却能帮上忙。

R90 方案提出的 90 分钟睡眠周期像是为我们提供了一张自制的多导睡眠图，出现睡眠问题时，可以利用它找到解决方法。如果我们夜间在一个睡眠周期开始或者结束时醒来（看下时间就能知道，你处于哪一睡眠阶段），应该知道如果无法快速睡着，不妨先起床做一些睡眠前例行程序，试着赶上下一个睡眠周期。试着找找原因，如果因为要上厕所，那么是不是喝了太多水？是不是摄入了过量的咖啡因？是不是有什么事情让你压力重重？这并不是一些随便问问的问题，而是一些简单的自我诊断。

如果我们在一个睡眠周期的中间醒来，不妨起床，试着在下一个睡眠周期开始时入睡。我们可以掌控一切。如果在最后一个睡眠周期的中间醒来，也就是说，还没到你固定的起床时间就早早醒来了，可以在床上休息一会儿，等到了起床时间再起床、开始一天的生活。如果因为某个特殊事件的打扰提前醒来，可以重新进入一个新的睡眠周期，这样就能一直睡着，而不必忍受受到扰乱的睡眠。如果你的睡眠问题仍然存在，可以采取睡眠限制疗法。

睡眠限制乍听上去似乎不合常理。如果你存在睡眠问题，白天备感疲惫，那么进一步限制睡眠时间怎么可能帮上忙呢？但事实上，这一疗法基于一个非常简单的假设：如果没有获得充足的睡眠，但你却在床上辗转反侧、试图入睡，就是在浪费时间。让我们砍去这部分被你浪费了的时间，将它转化成有效的睡眠时间。

再来看看丽贝卡的情况。她的目标入睡时间是晚上 11 点，固定起床时间是早上 5 点，但仍然会在半夜醒来，然后挣扎着想要尽快睡着。我们试着把她的入睡时间推迟到了凌晨 12 点半，看看她适应得怎么样。

最大的障碍其实是心理上的。多年以来，我们一直盲目地相信应当每晚睡足 8 小时，因此，"每晚只睡 4 个半小时就够了"会让大脑一时难以接受。但这样的安排反而更有益：比较一下，3 个无缝衔接的睡眠周期——至少其中的有效睡眠占了不少的比例（还记得吗，如果没有获得充足睡眠，你的大脑会优先进入快速眼

动睡眠阶段），和一段类似时长的睡眠——但断断续续地分布在 8
小时、且大多是浅睡眠，哪一种睡眠对你更有益呢？

也许丽贝卡会觉得，熬到凌晨 12 点后再上床睡觉，简直太难
了。她一定会感到万分疲惫、迫切地想要早点睡觉，但得抵制这
一诱惑，这点非常重要。进行一些低强度的锻炼，比如出去散个
步、呼吸一下新鲜空气，也许能帮她提起精神撑过这段时间。让
身体保持活跃状态更久，是其中的关键所在，因此她不该整晚坐
在电视机前的沙发上。与此同时，她的起床时间仍然固定不变。

她很可能会在白天感到疲乏倦怠。这时，尽可能延长睡眠前
后的例行程序（达到 90 分钟是最理想的）、每隔 90 分钟休息片刻
并在需要时日间小睡，对她而言都很重要。此外，她应该在白天尽
量沐浴在阳光下，这能帮她打起精神，也有助于重置内在生物钟。

根据 R90 方案，我们把 7 天作为一个周期来观测睡眠状况，
而不再着眼于一个晚上的睡眠状况。所以，如果在 7 天之后，那
些睡眠问题仍然存在，可以再减少一个睡眠周期，让她在凌晨 2
点上床睡觉。这似乎难以置信，但你必须认识到，这并不是一个
长期措施。这样做是为了有效地重置你的睡眠模式，并找到你的
极限——你能保持多长时间的高效睡眠，然后逐步增加睡眠时间。

如果最后事实证明，凌晨 2 点入睡、早上 5 点起床的睡眠模
式适合丽贝卡，那么她一定会看到这一睡眠模式带来的其他福利。
如果她在睡眠冲动最强烈的时候一下子睡着了，并连续熟睡了 2

个睡眠周期，那么也许很快就会发现，她再也不需要耳塞了，因为她没有停留在浅睡眠阶段。而只要处于浅睡眠中，无论睡了多久，我们总是非常容易惊醒。她甚至可能发现，自己和远洋航行的水手一样，只需短暂的睡眠，这种人只占总人口的1%。

这样的安排能给她带来信心，让她知道自己至少能获得3个小时的连贯睡眠。如果你每晚都能美美地睡上5个睡眠周期，那么这也许对你意义不大。但对那些睡眠失调多年的人来说，这将是一个很棒的开始。我们可以让她如此坚持上一个星期，并监测她的状态，然后再让她回归凌晨12点半的入睡时间。或者，如果在凌晨2点睡觉的这段时间中，她开始在下班后去健身房，让自己能在晚上多坚持一段时间，我们可以把她的固定起床时间调整到早上6点半。这说明她在积极采取行动。由于她现在睡得更晚了，已经调整了自己的作息安排，把去健身房锻炼的时间改到了晚上，而且这些天晚上她睡得很香，没有频繁醒来。

根据这一作息安排，试着让她先适应7天。如果这样做奏效了，我们可以考虑把时间调整回来，让她每晚能得到4个睡眠周期。晚上11点入睡、早上5点起床，或者凌晨12点半入睡、早上6点半起床，突然就没有那么糟糕了。以前她并不知道自己睡了多长时间、实际需要睡多长时间，但现在开始心中有数了。

睡眠限制疗法不可能在一夜之间奏效。有的客户会在实施睡眠限制疗法之后告诉我，如果他们连贯地睡了一个晚上，中途没有醒来，他们会把自己的入睡时间提前 15 分钟，不然就把起床时间推迟 15 分钟。怎么说好呢，这可真叫人失望。根据我的经验，这种做法太不稳定了，而且无形中制造了太多压力，给人的感觉就像是他们在打一个居心不良的视频游戏——如果你想晋级，就得先搞定今晚。如果失败了，就得退回上一级。

在睡眠不佳时，不要总想着这一晚的睡眠是多么重要。我之所以提倡观察一周总共获得的睡眠周期并且推介 24×7 的修复计划，原因就在于此。把一晚的睡眠看得太重，是有欠公允的。如果你能摆脱这些参数的制约，并坚持实施睡眠限制疗法，使之持续更长的时间，比如，连续几个晚上，而不仅仅是一个晚上，那么就会更有信心——这只是其中的一个晚上。要知道，这是一个渐变的作息调整计划的一部分，而不是一项会带来奖惩的挑战。

## - 失眠 -

失眠是诸多睡眠问题中的老大哥。一说起睡眠问题，大多数人首先想到的就是失眠。在一本睡眠书中，竟然这么晚才出现"失眠"这个词，这怎么可能呢？

事实上，"失眠"这个词所描述的是一系列睡眠问题。失眠患者难以入睡或难以熟睡，这将影响患者清醒时的身体功能。根据我入这一行的导师、英国睡眠协会前顾问克里斯·艾德辛科斯基教授所述，"失眠是过度清醒造成的。在过度清醒状态下，人脑会因过于兴奋而难以入睡。"[1]

有的人在压力过大时——比如丧失亲友或工作不顺时——会出现短期失眠，有的人则患有慢性失眠，这是一种非常严重的病症，通常没有明显的原因，也并非其他问题——比如焦虑症或抑郁症——的标志。

我的一个同事就患有慢性失眠，他每晚只能睡上1个小时。在一开始，他的身体会在白天彻底崩溃，随时随地都会突然倒地睡着——哪怕是在大街上。对他来说，这简直犹如噩梦。但现在，他已经调整过来了，尽管睡眠时间依然没有增加，但是他应对这种情况的能力却有了大幅提高。我们的身体和大脑具有非常强的适应能力。现在，他能够充分利用时间，在一天中做完两天的工作。特别是在需要和处在不同时区的同事进行工作交流时，他显得尤其得心应手。我们用一款叫作Zeo的睡眠追踪器监测他的脑波模式，结果发现，在忙着发送电子邮件时，他的大脑中正在进行只有睡眠阶段才会出现的一种活动。我认为这很可能意味着，在他夜间清醒的时刻，大脑能以某种形式得到休息。然而诊断结果比这简单得多——追踪器出问题了。

对于这种慢性失眠，或者其他预示精神健康出现问题的隐患，我有一个再简单不过的建议：去看医生，医生会做出临床诊断并对你进行医疗护理。但是，对于遭受其他失眠症状的人来说——

我指的主要是难以入睡或半夜醒来，R90方案将是一个有效的工具。睡眠前后的例行程序、固定不变的起床时间、和生物钟保持协调、适宜的睡眠环境、经常休息和体育锻炼都能奏效。此外，睡眠限制疗法并非只有我一个人推崇，全球的各个诊所和健康机构也在使用这一疗法。如果这些做法都不能奏效，那么我建议你去看医生。但是鉴于大多数医务人员工作量都很大，很可能他们只会简单地给你开点助眠药物，而你的麻烦很可能就这样出现了。

## - 无效的安眠药 -

在体育界中，压力巨大、肾上腺素飙升、摄入或过量摄入咖啡因，这些都是家常便饭，因此，许多和我合作的团队都有使用安眠药的团队文化，也就不足为怪了。毕竟，兴奋过后总得回复平静。

2014年，全球助眠药物的市场份额估值为581亿美元，预计到2020年将超过808亿美元。[2] 根据一份美国研究报告，约有900万美国成年人服用助眠药物。此外，从1998年到2006年，在18—24岁的人群中，服用助眠药物的人数上升了三倍。[1]

使用安眠药不当，会带来巨大的危险。唑吡坦是一种作用于神经系统、从而诱导睡眠的催眠药物，它是许多助眠药物——包

---

1 数据来自美国国家卫生统计中心。

括在美国非常受欢迎的安必恩——的主要成分之一。由于摄入唑吡坦而就医急诊的人次，在 2005—2010 年之间增加了一倍。安眠药容易让人上瘾，会引发记忆丧失和梦游症——在梦游驾驶时突然醒来，引发灾难性后果的事故，堪称其中极端的例子。此外，安眠药停留在人体中的时间有可能比你预期中的更长，它将严重影响你第二天的平衡能力、灵敏度和反应时间。[3] 从这个角度来说，安眠药可谈不上是什么表现增强剂。

2012 年的一项研究，考察了安眠药和死亡率、癌症之间的关联。报告称，"和未服安眠药的人相比，服用安眠药的人猝死的几率显著上升"——即便是对那些只服用少量安眠药的人来说，情况也是如此。[4] 那么还值得冒这样的风险吗？一项针对唑吡坦类催眠药物的研究指出，和那些安慰剂相比，安眠药物只能让实验对象的入睡时间提前 22 分钟。[5]

药物并不是解决顽固性睡眠问题的良策。对于那些因为丧失亲友而沉浸在悲痛中或者遭遇了类似的创伤性事件而出现短期失眠的人来说，这些药物具有一定作用。但是英国国民医疗保健服务机构建议，连续服用这些安眠药物的时间，最长不得超过 4 个星期。然而，英国拉夫堡大学睡眠研究中心的凯文·摩根教授指出，"大多数临床失眠症都是慢性的，因此医生一次开出的安眠药的使用时间，往往超过 4 个星期。"

但是何必劳烦医生开处方呢？大多数安眠药物都能在网上买

到，这意味着，那些喜欢自我判断睡眠状况的家伙，完全可以在没有专业医护人员监督的情况下，自行摄入安眠药物，并很可能由此引发药物上瘾。根据2013年的《英国睡眠协会大不列颠就寝时间报告》，英国每10人中就有1人曾因为睡眠问题就医咨询，而自行服药对付失眠的人，是这个数量的三倍。

我有一个非常简单的建议——停止服用这些药物，马上停止！它们对你没有任何好处，除非你已被确诊存在睡眠或其他精神问题，必须服用安眠药物。这些药物会让人上瘾——会让人养成在睡前吃安眠药的习惯，并成为一个有害的睡眠前例行程序，从而让你相信，没有这些安眠药，你就无法入睡。如果你想改变一下，试着睡前不吞下这些安眠药，你就会感到焦虑，就会想东想西，难以成眠。而这让你更加相信，必须依赖安眠药才能睡好觉。

在我加入一个运动俱乐部时，我首先要做的一件事就是说服选手们摆脱安眠药。俱乐部的医师很可能已经劝说过他们，但他们听不进去。医生知道，他们这样做对身体有害。但是，选手也许会这样回答："我需要安眠药，如果不吃安眠药的话，在我赛前和赛后的晚上，我肯定会睡不着。"

"那就别麻烦了，"我会告诉他们，"如果你睡不着，试着用别的方式休息一下。比如试着冥想，或者重温一下你运动生涯中最辉煌的一刻。你可以利用这些时间做些别的事情。"

让他们重温自己的辉煌时刻，能帮助他们降低焦虑水平——

焦虑有可能是他们失眠的原因。重温辉煌一刻，也能帮助他们树立信心，让他们相信自己能在下一场比赛中有出色的发挥。当史蒂夫·雷德格瑞夫睡不着时，他并不会为此而忧心忡忡。他会走出家门，着魔似的使劲划船，战胜对手，然后回家休息。

如果你也在辗转难眠，为何不做一些类似的事，给自己增加一点信心，让自己感觉好一些。也许你没有辉煌瞬间的录像带供你重温，但一定能从记忆深处挖出一点能带来信心的回忆。这比忧心忡忡地想自己怎么又睡不着了显然要好多了。起床，做一些类似睡眠前例行程序的事——冥想、戴上头戴式耳机听一些放松的音乐——然后看看能否在下一睡眠周期开始时入睡（也就是说，假设你在凌晨 1 点左右辗转难眠，而固定起床时间是早上 6 点半，那么凌晨 2 点或 3 点半就是下一个睡眠起点）。你可以积极主动地采取一些措施，控制自己的睡眠状况。

本章开头时提到的丽贝卡，试图通过服用非处方安眠药，来解决她的睡眠问题——2015 年，英国非处方安眠药的总销售值高达 4400 万英镑。[6]非处方类安眠药的主要成分往往是抗组胺剂，这种成分如果单独使用，用处非常有限，起作用的很可能是它的安慰剂效应——我吃了药丸，因此不必担心睡不着。而研究也已经证实，那些药效更强的处方类安眠药，的确具有强大的安慰剂效果。此外，许多人很可能会忘记，在他们刚开始服用安眠药的那一两个晚上，他们会主动采取一些助眠措施。由于已经意识到需要采取一些措施帮助自己改善睡眠，因此，他们很可能会在当天晚上改变自己一贯的生活方式，并舍弃一些无益于睡眠的活动，比如酗酒与晚归，也许还会在白天减少咖啡因的摄入。他们也许会这样坚持上一两个晚上，而睡眠也因此得到了改善。可是，一旦恢复了惯常的生活方式，他们就会发现，安眠药除了短暂的安慰作用之外别无他用。当然，这种短暂的安慰剂，如果配合一整套相互协调的方法使用，仍然是有效的。而且，它们不太会像那些处方类安眠药一样，带来太大的副作用。但如果你想看到更长久的效果，那么 R90 方案远比那些睡眠药物值得信赖得多。

## - 时差反应 -

我去澳大利亚的第一段航程始于伯明翰机场，起飞时间是晚上 9 点。我吃了飞机餐，看了一部电影，然后按下座位上的按钮，放倒座椅（商务舱是出公差的一大特别待遇），进入梦乡，一直睡到了飞机降落目的地。飞机在当地时间早上 7 点到达迪拜。白天，我一直没有睡觉，和住在迪拜的老朋友安迪·欧德诺见了个面，[1] 共进晚餐。接着，我回到机场，准备在凌晨 2 点飞往悉尼。我

---

1　1998 年时，安迪是一名足球协会的赞助执行人。他打电话给我，让我为英格兰足球队挑选一些更好的寝具，当时英格兰足球队在法国参加 1998 年的世界杯比赛。至今他仍然声称，是他启动了我在体育界的职业生涯。

在飞机上睡了几个小时，13 小时后，在晚上到达了悉尼，到达宾馆，吃了点东西，放松了一会儿，然后设好闹钟上床休息，因为明天上午 11 点要在一个电视演播室中准时露面。尽管跨越了好几个时区，我的时间安排和平时相差不大，当天晚上也睡得很香。

第二天早上，我觉得状态还不错——当然不是 100% 的舒适，毕竟经历了长途旅行，多少还有点疲劳。（长途旅行本身让人疲乏，特别是长时间挤在一个狭小的空间中，有时，这种疲乏和时差反应很难区分。）我准时到达了电视演播室，他们正在摄制录像。当我做准备时，一切顺利。可是，当摄像机对准我时，我突然彻底不在状态了。到第三次拍摄时，我甚至没法开口说话了。一切都乱了套。我没法恢复正常状态。我飞越了大半个地球，就是为了来录制这档电视节目，但现在却只能回宾馆去。我究竟是怎么了？

坐飞机长途旅行，在短时间由西向东或由东向西跨越好几个时区时，昼夜节律和新环境的光暗循环就会失去同步，我们就会出现时差反应。喷气式发动机的发明，超越了人类进化的速度。

睡眠规律受到干扰——难以入睡并难以熟睡——以及白天疲劳感加剧，都是时差反应的常见表现。生物钟试着适应新环境，因此我们会在不该清醒时万分清醒，在不该困倦的时候备感困倦。此外，即使大脑中的主生物钟适应了当地时间，但我们的细胞和组织中的小生物钟仍得重新校准。这一事实让情况变得更加复杂。

你的旅程越长、所跨越的时区越多，那么时差反应就可能越强烈。根据粗略估算，每一个小时时差所带来的不适，需要一天时间才能克服，但具体情况因人而异。如果让一支由30位球员组成的球队飞到远东参加赛季前的宣传赛，并让他们遵循相同的饮食和作息安排，那么其中的一半成员也许能在下机后的第二天正常参加比赛，而另一半很可能会被时差反应彻底击垮。但实际上，我们可以采取一些预防措施，做更好的准备，但我并不能打包票说，这样做一定能避免出现时差反应。在飞往澳大利亚时，我奢侈地坐了商务舱，相比乘坐拥挤的经济舱，我能睡得更香，而且在睡眠方法方面，我拥有丰富的经验——但最后还是被时差反应击垮了。

有过长途度假经验的人，很可能早已尝过了时差反应的滋味。时差反应不仅会在一开始就毁掉美好的假期，还会让我们在度假归来后难以调整，无法回归日常生活。度假时，尽管时差反应的种种症状让人讨厌，但如果我们选择在海边度假放松，那么它并不会带来太多问题。时差反应对节后返工者或商务旅行者的影响更大，破坏性更强。因此，我们必须学会控制时差反应的种种症状。

毫无疑问，时差反应最厉害的克星，就是时间。参加里约奥运会的那些运动员，不会选择在比赛开始前的一天才飞到里约。同样，2014年奔赴巴西角逐世界杯的足球选手，也不会在比赛前一天才匆匆抵达巴西。他们会提早抵达当地，留下充分时间，让自己的昼夜节律适应当地的时间。如果你能提前飞往目的地参加商务会议或能在假日回来后休息一两天再上班，就能缓和一下。但现代商务节奏非常快，我们也非常珍惜为数不多的年假，因此一般而言，我们并不会做出这样的选择。

加入美国体育联盟——比如美国男子职业篮球赛和美国橄榄球联盟——的球队，往往需要穿越整个美国、跨越多个时区参加联赛（洛杉矶和纽约之间有 3 个小时的时差），因此如果东海岸的球队前往美国西海岸参加比赛，那么时差反应就可能影响球队的发挥。由于美国国内联赛比四年一度的国际大赛（比如奥运会和世界杯）频繁得多，利用时间调整时差不太可能，因此他们必须采取其他措施来对付时差反应。

一些航空公司推出了自己的时差反应应用软件，或安排了在线咨询师，这些方法当然能够起到一定效果，但和以往一样，光线永远是我们最强大的武器。我们可以利用光线，在坐飞机前、中、后的时段中重置生物钟，从而克服时差反应。坐飞机前采取一个非常简单的预防措施，就能让你拥有一个良好的开端。如果你即将从纽约飞往伦敦——这意味着，向东穿越 5 个时区（5 个小时的时差），就该把你的生物钟往前拨一点儿，提早适应目的地所在的时区。通常来说，向东飞行比向西飞行更加难受，因此如果你要向东飞行，尤其需要提早做好准备。你可以在出发前的几天开始提早入睡、提早起床，可以提早早上引入光线——自然光和日光灯都行——的时间，并在晚上避免光线侵袭，争取提早入睡。

这一逻辑也适用于反方向的旅程（从伦敦飞纽约）。如果是向西飞行，你可以在临行前一晚，晚关灯一个小时，让自己清醒更长时间，这样就能争取稍晚入睡，并且在第二天早上稍晚起床。

在飞机上，如果你在白天到达目的地，也可以利用光线让自己保持清醒。当然，在随身行李中带上一盏日光灯显然不太可能，但你可以利用 Human Charger( 一款克服时差反应的辅助设备 ) 这样的产品。这种产品会通过耳道给你带来强光，戴上它也不会比戴上耳机听音乐更加招摇。

适应新的环境，有时需要尽可能地曝露在光线之下，有时却需要尽可能地避免光线。有时，你需要根据目的地的日出日落时间，注意避免飞机上的光线。如果可以的话，拉上飞机舷窗的遮光帘，或者戴上眼罩甚至戴上墨镜，当然，别的旅客也许会投来怪异的目光（除非你坐的是头等舱，那么别人会以为你是个名人）。

到达目的地后，你可以通过设定闹钟、逐渐提早或推迟每天的起床时间，也可以通过戴墨镜、关灯或待在室内避光并在适当时间照射日光灯的方式继续调整时差。但不同的是，这回你会发现，努力适应目的地的光暗循环才更加有效。如果你到达目的地后，晚上睡不着或者在夜间起床了，要注意避免一切需要明显光线的活动。与此类似，白天你应该让自己照射充足的阳光，避免整天在黑暗的房间中睡觉。做足准备工作后，时差反应就不会那么严重或者那么长效了。

如果下飞机后马上要参加会议或活动，无法调整生物钟，那么光线的益处就更大了。它能改善情绪，提高灵敏度，因此我们可以利用日光照明设备摆脱困境，撑过这些重大事件。适量的咖啡因也能带来帮助。等到一切结束后才被时差击垮，后果就没有那么严重了。光线是对付时差反应的强大天然武器，比过量摄入咖啡因或服用安眠药有效得多。在飞机上尽量照顾好自己，补充足量的水分，并避免摄入酒精——酒精不能帮助睡眠，同样也很重要。

2015 年，国际航空运输协会发布的数据显示，国际航空乘客的数量同比上升了 6.5%，显然我们航空旅行的需求有增无减。如果你需要经常乘飞机往返，可以试着采取各种方式进行调整，并找到最适合自己的措施，而这意味着不一定非得让时差反应横插一刀，让你的表现大打折扣。即便很少坐飞机，如果能在旅途中照顾好自己，那么在节后返工时，你也将拥有更佳的状态。

这些建议是否让你有种似曾相识之感？这是因为，对付时差反应和我们平时利用光线调节生物钟是一个道理，就像晚睡星人每天需要应对社交时差。光线是我们调整睡眠——觉醒周期的最佳工具，无论是在平时，还是在长途旅行时。


## - 上夜班 -


说到上夜班的人，你也许会想到工厂中的夜班工人、医院中的医生和护士，甚至还有工作时间不定的酒吧从业者。但由于科技的进步，还有工作到深夜的企业文化，我们都会对拒绝偶然的夜班工作产生愧疚感。

我曾经帮助过一位职业扑克玩家，他晚上常常参与线上高赌注扑克游戏。这样的夜班工作，也许你一时半刻想不到。他们必须平衡白天的家庭生活和夜班工作，因此所面对的挑战和那些上夜班的医生、护士、工人如出一辙——如何才能维持这样一种彻底背离人体生物钟的生活方式？

正如我们在第一部分中所提到的那样，长期与身体对抗会带来严重问题。牛津大学睡眠与昼夜节律神经科学研究所的所长拉塞尔·福斯特教授指出：

睡眠受到干扰，比如倒班制工人那样，会引起大量问题，包括免疫受到抑制、患癌和冠心病的风险增高，甚至还有可能导致代谢紊乱，比如罹患2型糖尿病。

夜晚，人体会自然分泌褪黑素进入睡眠状态。如果你在夜间工作，就错过了睡眠冲动和睡眠需求同时达到高峰的睡眠时机，等早上回到家中时，太阳已经升起，你的睡眠压力非常之大，但睡眠冲动开始下降，你很难获得像夜间睡眠一样的高质量睡眠。翻到第一部分昼夜节律一章，我们就能知道，身体所履行的功能是随着时间推移，并和日出日落的时间相协调的。夜间工作显然不在协调的范围内。

如果要上夜班，我们必须有效地重置我们的生物钟，将它调到新的时区，就像遇到时差时一样。根据 R90 方案，我们可以通过使用日光灯和模拟日出自然唤醒灯照射光线，并且利用夜间、午后和傍晚的三个睡眠时机，每 90 分钟一次的休息以及睡眠前后的例行程序，适应新作息安排。对于那些晚睡星人来说，这样的调整相对容易一些。

因此，上完夜班回家后，我们不该直接上床。白天工作的人也不会一回家就睡觉。可以回家后先吃点东西（如果真的想适应夜间工作模式，我们应该吃一顿传统意义上的晚餐，而不是早餐），并且把这段时光切换到夜晚模式。如果你有孩子，可以在孩子上学前和他们相处一会儿，甚至送孩子上学，这样就不至于完全和白天的生活脱节，或者过于疏远你的家人。

如果你没有孩子，可以和晚上下班一样先放松片刻，看看电视，看看书（早上 8 点喝红酒也许有点不太合适）。在你的目标入睡时间前 90 分钟，开始睡眠前例行程序。现在，昏暗的光线更显得重要了。你就像一个吸血鬼一样，需要让睡眠环境彻底远离日光。如果条件允许，在开始睡眠例行程序时，就可以让卧室的光线暗下来，让身体感觉到夜晚即将降临。

如果你在白天睡眠，利用好午后（下午 1—3 点）和傍晚（下午 5—7 点）这两段可控修复期非常重要。午后的可控修复期尤其重要，因为这段时间对应于夜间睡眠的凌晨 2—3 点，这时你的睡眠冲动会达到峰值。如果可以把目标入睡时间设在午后 12 点半的话，你一定能睡着，并能利用这段时间睡个好觉。想要在白天获得 5 个睡眠周期有点困难，因为白天的睡眠会被频繁打断。但如果能睡上 4 个睡眠周期的话，就能睡到傍晚 6 点半，这样也利用了部分的傍晚睡眠时机。

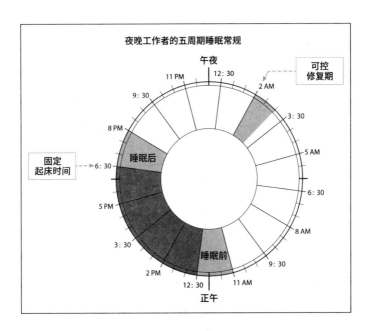

傍晚的起床时间也应该是固定的，上夜班的人比上白班的人更需要利用光线唤醒自己。如果你的起床时间是晚上 6 点半，冬季这时已经天黑，因此需要人造光——去买一个模拟日出自然唤醒灯。而夏季更棘手的问题是，如何在睡眠时阻挡外界的光线。当你醒来后，拉开百叶窗或窗帘，让自己沐浴在日光之中，然后开始睡眠后例行程序，排空你的膀胱，补充营养和水分，进行一些低强度的锻炼。同样，如果你有孩子或伴侣，可以花点时间陪陪他们，这样就不会完全脱离日常生活。

开始上班后，光线至关重要。标准的人造光太暗淡了，因此你需要日光灯——如果有可能的话。这时，蓝光也不再那么不合时宜了，它能帮助抑制褪黑素。毕竟你现在需要的是保持清醒。

你进入可控修复期的最佳时机是凌晨 2—3 点，对于上白班的人来说，这段时间是他们睡意最浓的时候。利用这个睡眠时机，插入一个 30 分钟或 90 分钟（如果你的工作允许）的睡眠周期。对于上夜班的人来说，咖啡因是一种强效的表现增强剂，但不要忘记，不要超过每日的最高摄入量 400 毫克，也别忘了咖啡因的半衰期长达 6 小时。夜班工作者更容易罹患肥胖症 [7]，因此饮食和锻炼也非常重要。

每天坚持这样做，随着哄骗生物钟，使其适应新的睡眠——觉醒周期，到一周结束时，你也许会感到已经搞定了它，就像你已经克服时差、适应了新的时区一样。然而，许多夜班工作者想在这时重新切换到白天模式，重新联系上自己的亲友，再度拥有社交机会。更糟糕的是，有些轮班工作者总在不断轮班，就像不断地在多个时区之间切换，因此总是无法融入周围的环境之中。

研究表明，不断改变作息时间将影响人体健康。一项研究在22年中跟踪调查了7万名上夜班的女护士。研究表明，做轮班工作超过5年的护士，更容易罹患心脏病早早去世，而那些做轮班工作超过15年的护士，得肺癌死亡的概率出现了大幅上升。[8]

不断改变作息时间显然不利于健康。而且，轮班制工作者会比长期上夜班的人出现更多健康问题。尽管R90方案能帮你应对一些上夜班的麻烦，但从长远来看，你必须做出决定——你打算再坚持多久？5年？10年？还是你的整个职业生涯？很多人无法选择他们的工作时间，但如果有机会，你迟早需要问自己这个问题。

即便我的客户——那个职业扑克玩家——有诸多便利：他能在家工作，因此夜间可以随时睡上一会儿（扑克游戏允许他这样做），而且也不需要出远门。但他也得早晚做出最终决定，因为对着生物钟干，早晚会出问题。一直都是这样。


## - 冬日之战 -


在本节开头，丽贝卡想把起床时间调到早上5点。春天到了，在英国，每年3月的最后一个星期日，人们会把时钟往前拨快一小时。额外的日光和额外的白天时间会帮助丽贝卡更容易地做出这一改变。但是在每年 10 月，冬季将至时，人们也会这样积极地做出改变吗？

在英国，每年 10 月的最后一个星期日，人们会把时钟往后拨慢一个小时（夏令时是往前拨快一个小时），调到格林尼治标准时间。随着冬季到来，天黑得越来越早，这一调整意味着天黑得更早了。英国在夏天启用夏令时，始于"一战"期间。有人倡议在英国全年实行夏令时，这一呼吁得到了许多人的响应。英国皇家意外事故预防协会认为，晚上天黑得晚一些，"能在一年中挽回 80 条生命、减少 212 次重伤"，而且这样做能鼓励人们在夜间进行更多的休闲活动，有利于防治糖尿病，特别是能减少年轻人罹患糖尿病的几率。而和欧洲中部时间保持一致，有利于英国的经济发展，也有利于环境保护。他们还宣称，"英国有 50 万人患有季节性情绪失调症和亚临床抑郁。如能增加一个小时的日光，有利于减少患病人数。"

如果一个平时精神完全健康的人，每年都会定期（通常是在冬季）、反复地出现类似抑郁症的症状，那么这个人就患上了季节性情绪失调症。事实上，所有人几乎都会出现某种程度的"冬季忧郁症"，一到冬季就会变得郁郁寡欢、情绪低落、做什么都提不起精神。在冬天，外面又黑又冷，起床变得更加困难，我们的饮食习惯也会发生改变，会偏好碳水化合物含量极高的"安慰食品"，而不是像夏天一样喜欢新鲜沙拉和清淡饮食。如果观察一下动物们，就会发现冬眠其实并不是一个坏主意。实际上，许多人也在冬季开始了某种形式的冬眠——出门上班，然后回家，晚上和周末待在家里更长时间，锻炼大幅减少，因为在冬季往往情绪低落，并且缺乏动力。在冬季的数月中，电视收视率往往会达到高峰值。

纵观我的职业生涯，至今没遇到过一个能不受季节变化影响的运动员。运动员们也会产生减少活动、放慢速度的生理冲动，就和那些想窝在家里、看更多电视的普通人一样。但对于橄榄球和足球运动员来说，这显然不是一个选择，因为他们的冬季日程通常被排得满满的。

寒冷的天气让我们早上不想起床上班。除此之外，在冬季，我们面临的最大障碍是缺乏日光，这影响了人体血清素的分泌，并导致褪黑素的分泌量增多，而根据光线自行调整的生物钟也会受到影响，让昼夜节律失去平衡。

天黑得早显然是一大主因，橄榄球运动员和足球运动员通常在室外进行训练（尽管他们也会在室内体育馆待上很长时间），因此多少能在白天照射到一点儿日光，但大多数普通人都在室内工作。在夏天，这没什么问题，因为在下班回家路上还能照到阳光，并且还可以在室外度过晚上的时光。但在冬季，我们白天一直在办公室中工作，等回家时天已经黑了。

因此，在冬季，利用早上的休息片段和午间用餐时间沐浴在阳光下就变得格外重要了。哪怕室外很冷，你也该这样做。购买一些日光产品也能奏效，我向与我合作的橄榄球和足球俱乐部推介了日光灯。你也可以在你的家中和办公室中，放上一盏日光灯。

在冬季，当你在黑漆漆的晚上下班回家时，很可能感到更加疲倦。所以，不妨利用傍晚的睡眠时机小睡一会儿，在小睡时或小睡后，打开日光灯15分钟，这样能让你打起精神，更好地利用晚上的时间。

如果冬季让你难捱，尽管去骚扰人事部门，让他们为你提供一盏日光台灯。你的同事不会注意到的——他们会以为那只是一盏普通台灯。你可以在午后倦怠时打开这盏日光台灯，以及利用午后时间小睡。看到员工变得更快乐、更有工作效率，你的老板一定会感到高兴的。

花一点儿钱在你的家中添置一盏日光灯，好好享受一下。你的情绪和动力会大幅提升。也许还会发现，不知从什么时候开始，去拿电视遥控器已经不再是你冬季夜晚的第一本能了——也许你更想去健身房锻炼锻炼，或者和朋友们共进晚餐。

## - 把脑袋当作武器 -

在电影《震荡效应》中，好莱坞超级巨星威尔·史密斯扮演的贝内特·奥马鲁医生，身穿灰色西服，操着一口尼日利亚口音，对着他的听众 ——另外两位医生，在办公室的一块白板上起劲儿地写着什么。他以一种医学专业人员特有的客观逻辑，而不是一个粉丝的视角，描述了一种特殊打球姿势的潜在风险："这是一连串的亚震荡性的撞击。每次比赛、每次练习做出这个动作时，他的头部都在充当武器。从他还是一个小男孩时，一直到长大成人上大学一直如此，并且在他第 18 年的职业生涯时达到顶峰。据我估算，迈克·韦伯斯特的头部已经承受了 7 万次撞击。"

他指出，韦伯斯特头部承受的 G 力相当于用铁锤撞击头部的力道。因此，韦伯斯特的大脑发生堵塞，以致丧失了辨认能力，甚至连自己都不认识了。在电影的戏剧化高潮部分，威尔·史密斯看着镜头，说出了他的台词："我不了解美式橄榄球，也从不踢橄榄球。但我可以告诉你的是，踢橄榄球要了迈克·韦伯斯特的命。"

贝内特·奥马鲁医生是一位尼日利亚裔美国病理医生，他发现前美国国家橄榄球联盟的球员迈克·韦伯斯特患上了一种慢性损伤性脑部病变，一种由于头部遭受连续撞击而引起的退行性脑部疾病。[9] 迈克·韦伯斯特直到去世前，一直备受精神疾病的折磨。美国国家橄榄球联盟迟迟不愿接受奥马鲁的发现——以此为题材的书籍和电影，详细描述了奥马鲁医生追求真相的种种努力。最后，2016 年 3 月，橄榄球联盟终于承认了美式橄榄球和慢性损伤性脑病之间的关联。这很可能会引起轩然大波，不仅会影响那些已退役和现役的球员，还会影响这项运动的将来。家长们本来就在担心他们的孩子——未来的巨星——会在打球时受到人身伤害，现在脑损伤这一巨大的威胁，一定让他们更加担忧。

美式橄榄球并不是唯一一项存在这一隐患的体育运动。不断猛击头部几乎是拳击运动的全部意义所在。早在奥马鲁的发现之前，科学家已经发现了一种叫作"拳击手痴呆"（这名字取得真恰当）的损伤性脑病。此外，英式橄榄球——美式橄榄球在英国的对等物——运动有可能导致脑震荡和头部损伤的问题，也一直是一个热门话题。这也是我关注这项体育运动的部分原因。

英国的职业橄榄球有两大分支：联合会式和联盟式。我和两大分支的不少橄榄球俱乐部和球员福利组织都有合作，曾签约负责在联盟式橄榄球联赛期间培训所有的选手。在联合会式橄榄球的领域中，情况也大体相似，我和好几个俱乐部以及橄榄球运动员协会都有合作，并和英国国家队合作，包括在 2016 年澳大利亚橄榄球冠军锦标赛期间，为运动员们提供睡眠和修复指导。在这届比赛中，他们创造了历史，首次在多场比赛中获胜。

尽管"把脑袋当作武器"的情况在英式橄榄球中并不像在美式橄榄球中那样严重，但是头部遭受碰撞、颅脑损伤和脑震荡的风险仍然存在。随着竞技体育运动的发展，选手们变得更快、更健康、更强壮，因此撞击也变得更加猛烈。

英国联合会式橄榄球选手亚历克斯·科比西罗，决定在 2016 年休赛一年，而此时正是他职业生涯最辉煌的时候。他对

《卫报》记者说："我已经踢了10年橄榄球。高强度的运动、体力上的消耗和损伤，还有我给自己施加的压力，让我付出了沉重的代价。我知道，如果我想继续踢橄榄球，就必须暂停一会儿。"

比赛赛程强人所难、日程安排过紧导致运动员缺乏必要的修复时间，是现代职业赛事的一种通病。正如圣诞日那天，橄榄球运动员协会的会长所说，"迟早得有人说，'看，我们会毁了这些家伙'。他们30岁就得退役了，45岁就没法走路了。我只希望，负责筹划这个体育项目的高层人士能有所规划。"

我无法改变这项运动的未来——那得由高层管理人员说了算。而且，正如美国国家橄榄球联盟所发现的那样，同时搞定赞助商和媒体宣传并不是一件容易的事。因此，运动员们的比赛和训练日程仍然安排得满满的，持续猛烈的撞击仍然不断发生。而我能做的，只有向运动员们推介R90方案，让他们了解如何才能有效地获得身心修复、安排好自己的生活，不要让问题进一步恶化。说到这项运动有可能给球员身心造成的长远影响，那么关注身心健康、积聚边际增益，是每个球员保护自我的切实可行之策。至于步科比西罗的后尘休赛一年，恐怕对大多数球员来说都不太可能。毕竟球员的职业生涯是很短暂的。

对大多数人来说，头部遭受不断撞击并不是一种工作时会遭遇的健康风险。我们更容易遭遇精神方面的损伤。由于生活节奏快得不可思议，许多人都面临着巨大压力、精疲力尽、抑郁焦虑，或曾经有过这样的经历。此外，如果不采取措施改善睡眠和修复状况，阿尔茨海默病和痴呆症也在前方窥伺着我们中的不少人，就像慢性损伤性脑病在等待着那些美式橄榄球运动员一样。

睡眠状况和精神疾病之间存在着千丝万缕的联系。睡眠障碍会引起抑郁症和焦虑症，甚至还会引起躁郁症、精神分裂症等严重的精神疾病。尽管职业运动员在不少方面都得天独厚，他们往往拥有一流的医护人员，但悲哀的是，由于承认自己患有精神疾病而招致在体育界乃至整个社会中名誉扫地的例子，并不在少数。因此，运动员们往往会掩盖自己的问题，勉强支撑下去，而没有寻求帮助。许多普通人为了自己的工作，也在这样日复一日地苦撑下去。

尽管我能帮助那些目前心情抑郁、压力巨大的人，改善他们备受干扰的睡眠，但如果一个人真的得了抑郁症或别的精神疾病，那就必须寻求医疗救助。毕竟只有医生才会治病。

从多个方面来看，我们现在的工作文化，可追溯至电灯泡的发明，电灯为我们点亮了晚上的时间。现在我们需要另一个亮灯时刻，从而重新调整我们的工作和休息。谷歌等公司已率先发起员工福利改革、实行弹性工作时间，但并不是所有人都那么幸运，能在那样的企业中工作。因此，如果你希望自己能顺应当今世界对我们的诸多要求，并且照顾好自己，成功地走向未来，那么就该对自己负责，采用 R90 方案，这非常重要。

[ 10 ]

# 主　队

——

## 性、伴侣和现代家庭

我第一次去阿森纳足球俱乐部，是应邀去给整支球队做个讲座，谈谈睡眠和修复的话题。我认识加里·勒温——俱乐部的理疗师，之前我们曾一起为英格兰足球队效力，正是他把我推荐给了俱乐部经理阿尔塞纳·温格。

　　我加入曼联其实纯属机缘巧合，也比较随意。当时，我写了一封信投石问路，而亚历克斯·弗格森爵士的态度非常开明，因此，我才有机会帮助加里·帕里斯特，进而为其他队员效力。当时我并没有想过，以后该如何发展我的事业。但是，当我作为曼联的正式员工前往伦敦出差时，才意识到，我快要成为两个英国最大的足球俱乐部的睡眠教练了。由于在体育界的职业生涯才刚刚起步，要学习的还有许多，一想到这个，我有点儿兴奋——但也有点儿紧张。因此，我带上了我的儿子詹姆斯做后援。

　　在伦敦科尔尼——这里离赫特福德郡的圣奥尔本斯不远——的曼联训练基地的一间会议室中，加里·勒温把我介绍给了球队的所有队员。我开始做陈述，向队员们介绍了一些睡眠诀窍和有关睡眠的各方面知识。尽管尚不成熟，这些内容正是日后的 R90 方案的雏形。快说到一半的时候，我向他们展示了一些睡眠产品。

这时，有几名年轻选手问我，能不能试试其中的一张床垫。

"当然可以。"我说。

他们一定在想，我们要找点乐子了。他们先后躺在这张床垫上——然后像孩子一样在床垫上各种胡闹，所有人都哄堂大笑起来。眼看我的讲座即将搞砸时，一位队员站起来说道："好了，够了！"

屋内所有人都停下来看着他。"我们是来听讲座的，"他说，"我们应该安静一点儿。"

谢谢你，蒂尔里·亨利。


## - 大赛前的性爱 -


在大赛前一晚，拳击手、足球运动员和短跑人员会被要求戒色。但在性爱是否会影响比赛成绩这点上，存在着许多互相矛盾的证据。对一些运动员来说，它甚至是有益的。你会在将要发生人生大事的前一晚戒色吗？

我的一位密友和同事尼克·布罗德一直对这个问题很感兴趣。[1] 他是切尔西足球俱乐部的运动科学掌门人，他相信，如果辅

---

1　我刚认识尼克时，他担任布莱克本流浪者队的营养师，和前曼联疗师戴夫·费弗尔是同事。接着，尼克在切尔西足球俱乐部时，邀我加入他们，当时卡尔洛·安切洛蒂是切尔西俱乐部的经理。卡尔洛非常看重尼克。后来，尼克追随卡尔洛，加入巴黎圣日耳曼足球俱乐部。让人伤心的是，尼克后来在法国遭遇悲剧性事件，不幸辞世。

之以因人而异的正确方法，性爱有利于增强选手的表现。

和谐的性爱能以一种愉快的方式有效地降低压力、焦虑和担忧，具有惊人的功效。它能让大脑聚焦于令人兴奋的自发行为，让人沉浸在那一刻中。它能让我们感到自己有人爱、有人需要并带来安全感。它是一种自然而然的锻炼方式——越频繁越好——而且性爱过后能让我们感到温馨、放松、幸福。此外，它似乎能让人快速进入梦乡，特别是对男性来说。

既然这样，性爱似乎应该成为所有人的睡前例行程序，但如果把它当成一种例行程序的话，那就会大大抹杀我们的激情。床首先是用来睡觉的，性爱只能屈居第二，所以不要把你的性生活局限在床上。充分发挥你的想象力，保持新鲜感和兴奋度，并且让你的大脑知道，床是用来睡觉的地方。你可以在别的地方做爱（只要这个地方不会引起什么麻烦）。

此外，性爱未必总是和谐的。也许其中一方没有这个兴致，这将带来排斥感或引发压力。或者，结束后一方尚未尽兴，而另一方已经无忧无虑地睡着了。一对伴侣也许会因为性爱不和谐而忧心忡忡、郁郁寡欢或者无精打采，它有可能会让他们无法再走下去。

还有性爱是否会让人精疲力尽这个问题。除非你缠绵床笫长达数个小时，影响了你的目标入睡时间，否则它不太可能影响你的身体。克莱门斯·韦斯特霍夫——一个善于管理尼日利亚足球队的荷兰人说得太对了，"让年轻运动员精疲力竭的不是性爱，而是整晚欲火焚身辗转难眠。"

也许我们该在大赛前一晚问问自己这个问题：性爱有可能会对我产生什么影响？如果是能够消除压力、改善情绪和放松精神的和谐性爱，也许有助于消除我的紧张和焦虑，并且睡得更香、醒来后精神焕发。如果是糟糕的性爱，那么也许会让我在大赛前一晚更加焦虑，那么最好还是严格遵循"大赛前杜绝性爱"的通用法则。

我们不妨以传奇人物、曼联选手乔治·贝斯特的话结束这一章节——"我从不觉得，这个会影响我的表现。"他说，"赛前1小时还是算了，但赛前一晚上怎么样都行。"

## - 你常来这儿吗？-

运动员和我们普通人的不同之处在于，在重大赛事前一晚做爱之后，他们不会像普通人一样翻个身就去睡了，而是会起床，进入另一个房间中，躺在他们的单人寝具上过夜。赛前做爱没什么不好，但让伴侣躺在身旁影响睡眠和修复？对于许多优秀运动员来说，这绝对是不可能的，想都不用想，这关系到睡眠修复的风险控制。

固定伴侣对我们睡眠的影响非常大。在之前讨论睡眠修复的关键指标时，我们只考虑到了我们自己的情况。但你还记得第 9 章开头的丽贝卡吗？她想要改善自己的睡眠，所以她的伴侣睡在沙发床上。当我遇到像丽贝卡这样的人时，我知道，当她一个人睡时的睡眠开始稳定下来之后，我得给她的伴侣也做个睡眠评估。因为谁知道他俩躺在一张床上之后，又会出现什么问题。

在英国，除了压力和忧虑之外，伴侣的干扰是造成睡眠不良的第三大常见原因。[1] 打鼾、睡眠呼吸暂停（伴侣往往是最先发现者）、抢被子、半夜起床和各种小动作，都会影响伴侣的睡眠。此外，还有一些在受到影响之前甚至根本不会考虑到的小问题，也是影响因素，比如双方的入睡时间和起床时间不同。在你的伴侣睡着后你才上床睡觉，就有可能会打扰他。同样，习惯早起的一方，也会打扰还想睡会儿的伴侣。

"你习惯用左手还是习惯用右手？"无论什么时候，这句搭讪词都没有"你常来这儿吗"那么使用频繁。但如果你俩的关系能深入下去，那么这个问题的答案对你的睡眠将产生重大影响。当我们和伴侣面对面睡觉时，无论双方多么相爱，最后总有一人会先感到不爽，然后背过身去享受自己的个人空间。我们甚至不记得自己做过这个动作，但呼吸别人的气息会干扰到自己的睡眠，所以我们会本能地背过身去。

与伴侣同床共枕，在睡眠前和睡眠后对我们有诸多益处。在理想状态下，我们应该在睡前一起躺会儿，然后在不同的房间里各睡各的，这样就不会受到对方的干扰。睡醒后，我们各自起床，再悠闲地休息片刻，然后高高兴兴地和对方交流一会儿，开启新的一天。一个人睡是很自然的一件事——我们从小到大都是一个人睡的。也许未来的卧室设计，能将这点纳入考虑。

我们最理想的睡眠姿势是胎儿式，躺向非主要的一侧（右撇子靠左侧睡，左撇子靠右侧睡），这种睡姿能带来心理上的安全感——我们能随时用主要的一侧身体保护我们的心脏、器官和生殖器。如果是一个人睡，那么你睡在床上哪块地方都无所谓。但如果你和伴侣同眠，问题就变得复杂起来了。很显然，床的某一侧对你来说，是更理想的位置。如果站在床尾向前方看过去，那么床的右侧是右撇子的理想一侧，而左侧是左撇子的理想一侧。

如果这样睡，那么左撇子和右撇子都选对了睡眠位置，这样不仅符合他们身体的需求，还能让两人相背而卧，让双方都拥有自己的空间。而且，在他们身体的前面也不存在任何会打扰他们的障碍物。如果你是左撇子，而你的伴侣是个右撇子，那么从这点来看，你俩真是绝配。

完美的搭档：左撇子和右撇子都睡在床上适合他们的一侧

　　但如果一对伴侣都是右撇子或者都是左撇子，那么其中一人就只能睡在不适合他的一侧。右撇子睡在床的左侧和左撇子睡在床的右侧的话，都只能对着床的里侧，也就是对着伴侣的后背睡觉，这将给他们带来更多的潜在干扰。举个例子，如果睡在错误一侧的一方，在和伴侣相拥而睡、进入梦乡后先翻过身去，就会睡向他们身体非主要的一侧，这一侧相对没有那么敏感，因此就更容易在整晚的睡眠中保持不变的姿势。

　　那么解决之道是什么——和你的伴侣换个更适合你的位置？

人们都说，爱是盲目的，它可不在乎我们身体有何需要。但是，如果知道你俩中谁睡在了错误的一侧，并尽量对此进行补救，却是个好办法。你的修复室中能放下的最大的床是超大号床（特大号只是适用于两个成年人的最小一号）。还有，如果你会在床上翻来覆去或半夜起床，如果你的伴侣正好朝着你睡，那么对方更容易被你吵醒。

了解了究竟会给伴侣的睡眠带来多大干扰，在做出一些选择，比如租房或买房时，我们就会考虑到这个问题。我们会优先考虑面积较大的卧室，确保能在卧室中放下一张特大号床。我曾经在各种形状和大小的厨房中做过饭，也曾在狭小的浴室中洗过澡。但既然我有一个生活伴侣，就需要一张足够宽敞的、足以容纳两个成年人的大床。

如果你的人生中即将有大事发生——比如即将参加你已为之训练多时的马拉松或三项全能比赛、参加一个重大项目甚至你的孩子快要出生了——你都能效仿那些运动员，暂时抛下你的伴侣。你可以搬到闲置的房间中睡觉，或者在客厅搭一张临时床——气垫床、床垫罩或沙发床都行。怀孕——特别是在怀孕晚期，会给女性的睡眠带来极大的干扰，因为她会在晚上不停地动来动去，让自己睡得舒服一点儿。因此，分床睡对孕期的妻子和丈夫都有好处。超大号床也许能睡下两个人，但这个时候其实有三个人睡在这张床上，所以就有点挤了。

据报，罗杰·费德勒在温布尔登参加球赛时，会租下两套相邻的公寓：一套给他妻子和儿女住，一套他自己住，他并不和家人们睡在一起。2016年里约奥运会前夕，与我共事的那些运动员，都睡在自己的可携带式 R90 寝具上。他们都选择了一个人睡。

从这点来说，床是一对夫妇放松身心的庇护之所，如果他们愿意，还可以在床上做爱。但当他们各自翻过身准备睡觉时，我们的运动员就会起床，躺在自己的寝具上。分床而睡能大大减少潜在的干扰，有助于你发挥边际效益，让你在关键时刻拥有更佳表现，并且和你的伴侣保持良好关系。所以，下次当你听说一对名人夫妇或你的朋友分床而睡时，不要太快做出判断。也许他们只是在尽可能地享受最佳的睡眠。等到醒来时，他们精神焕发，心情舒畅，并且比从前更加恩爱了。

## - 新生儿 -

女性在怀孕时，现代医学能告之胎儿的各种情况，比如性别、健康状况、得并发症和残疾的可能性，但却仍然无法告之孩子究竟会是什么样的。我自己有两个孩子，一个一天到晚睡觉，一个连续哭闹了三年——至少在我看来是这样的。

如果将 R90 方案全面应用到你的生活之中；如果你在一个合适的修复室中，躺在合适的寝具上睡觉；如果你每天在固定的时间起床；如果你知道如何利用日间小睡，并和你的昼夜节律保持协调一致，那么你已经做好了不少准备工作，能更从容地应对新生儿可能给你的人生带来的干扰。至少从理论上说是这样的。

你每天 24 小时的作息安排从在固定的时间起床开始。只要有可能，你应该坚持做到每天定时起床。此外，你还能利用中午和傍晚的睡眠时机小睡一会儿，还能在晚上美美地完成几个 90 分钟时长的睡眠周期。孩子出生后，母亲的时间安排将完全根据婴儿的作息而定，主要包括婴儿的睡眠、醒来、进食，还有多次的大便和小便。做父亲的也应该尽力配合，分担责任，否则会影响夫妻关系。尽管从生理上说，孩子的哭声更容易让母亲从睡梦中醒来。

因此，如果你的固定起床时间是早上 6 点半，那么如果新生儿在凌晨 2 点醒来，你得起床照顾婴儿，哄他重新睡着，你会看看你还能睡多久，而不是马上去睡觉。如果你已为人父母，也许早就有过这样的体验：你回到床上准备睡觉却发现自己睡不着了，这番忙乱有可能让你精疲力尽，烦恼不已。不要把宝贵的时间浪费在这些上。如果现在是凌晨 2 点半，你可以计划在 3 点半入睡，先做一些睡眠前例行的准备活动——收拾房间、做点家务、进行冥想，甚至看会儿电视，然后再去睡觉。如果你够幸运，从 3 点半一直睡到闹铃响起，那么就能在固定的起床时间起床。

如果可以的话，白天除了两个适合小睡的时段之外，争取不要在其他时间打瞌睡。如果婴儿在下午1点睡着了，你也可以睡上30分钟或90分钟。但是不要因为婴儿睡了2～3个睡眠周期，你就学孩子的样，同样睡那么久。你不会想和你的睡眠周期对着干的。起床，利用这段时间做点什么——有了新生儿，免不了洗洗涮涮，所以你可以洗衣服、收拾房间，在孩子醒来前，给自己找点事做。

如果你幸运的话，孩子一定会形成自己的睡眠模式，你可以据此调整自己的R90方案，争取和孩子的作息保持同步。在这段时期，你多少能够掌控自己的睡眠和修复，而其他的新妈妈和新爸爸还在为此苦苦挣扎、不加选择地随时打盹儿、夜间躺在床上辗转难眠、觉得一切都失去了控制。不少书籍和论坛都能给你提供建议，告诉你该如何养育、照顾婴儿，但能给你建议、让你学会照顾自己的却寥寥可数。贯彻R90方案，你就能掌控好一切。

那么，如果你没有那么幸运呢？也没关系。这两种情况我都经历过了。如果你晚上总是睡不着、被剥夺睡眠，觉得快要发疯，并且开始对你的伴侣恶语相向，而换在从前那是完全不可想象的，那么你要知道，别的父母的情况也好不到哪儿去。你可以把自己想象成一个环球航行的水手，他们每12个小时只能睡上30分钟。想想那些采用多相睡眠的人，极端的多相睡眠者每4个小时只需睡上20分钟，一天总共才睡了2个小时。

在应对睡眠匮乏这点上，人类算得上是一种适应能力极强的生物。此外，尽管现在所做的许多事情都在剥夺我们的睡眠，人类的进化却让我们足以胜任养育孩子之职。尽可能地和你的R90方案保持一致，并注意合理膳食，照顾好自己，即便这意味着不时遇到各种磕磕绊绊；学会和你的伴侣合作；即便你无法坚持R90方案，即便你睡眠不足，也别太和自己或你的伴侣过不去。不会永远这样的，等到孩子们长大一些，一切就好办多了。

## - "懒散的" 青少年 -

孩子们长大了。新生儿很快形成了自己的昼夜节律，并适应了外界的光暗循环（在妈妈的子宫中永远是一片漆黑）。根据美国国家睡眠基金会的建议，新生儿每天需睡 14～17 个小时。但随着他们长大，睡眠时间也将逐渐减少。学龄儿童的推荐睡眠时间是 9～11 个小时。等长到 14 岁时，每天睡上 8～10 个小时就足够了。

从根本上说，是否重视自己的睡眠，由你自己决定。你可以在阅读本书后，有所启发并下决心做出改变，尽量把这些知识应用到生活中去。可是说到孩子们的睡眠，就不存在什么选择了——你必须重视他们的睡眠。

睡眠质量对孩子的身心发展至关重要。他们的身体和心灵需要足够的睡眠，才能健康成长。为了确保他们获得充足且高质量的睡眠，你需要采取一些之前我们已经提过的措施：比如为孩子们提供一个适宜的睡眠环境；给他们安排一些睡眠前后例行的准备活动，让他们能把这些活动和睡眠或起床联系起来；确保他们没有过度刺激自己（对孩子们来说，问题在于过量摄入糖分，而不是咖啡）。此外，还有一些并不适合成年人的措施，比如让孩子在固定的时间上床睡觉。

R90方案能帮助你调整自己的入睡和起床时间，使之适应你的孩子们的需求。如果客观情况要求你做出改变，R90方案也能给你带来信心，让你能灵活安排时间。此外，它还能让家长和孩子们都意识到睡眠的重要性。不妨尽早观测你的孩子属于什么睡眠类型，这样当他们上学时，他们就能知道自己的最佳学习时间是在何时。这种清晰的自我认识，能陪伴他们顺利度过学生时代，并让他们在将来的工作中得心应手。如果你的孩子日后成了体育迷，你还可以告诉他们，你给他们的这些睡眠建议来自于一位睡眠教练——一个给他们心中的大英雄出谋划策的睡眠教练。

然而，R90方案并不适用于孩子们。不要限制他们的时间，只需尽量提供需要的一切，让他们能拥有充足的高质量睡眠。尽量不要干涉他们的睡眠时间，顺其自然就好。大多数孩子的睡眠都很好，你可以等他们长大一点，再把你为了能让他们能睡个好觉而做出的各种安排悉数告诉他们。

一旦进入青春期，事情就变得更复杂了。青少年仍然需要大量睡眠，尤其重要的是，睡眠时，他们的身体会分泌一种青春期生长突增所需要的激素。不幸的是，生物因素，以及越来越多的社交和科技方面的诱惑，妨碍了青少年们获得充足的睡眠。

无论你的孩子在青春期到来前属于哪种睡眠类型，一旦进入青春期，他们身体所出现的种种生理变化将导致昼夜节律随之发生变化。他们的身体在夜间分泌褪黑素的时间推迟了，因此自然想要晚点睡觉。而且，鉴于所需要的睡眠时间比成年人更多，他们当然想在第二天早上多躺一会儿。该给青少年们正名了——他们贪睡，只是因为身体需要他们这样做。

但是，中学和大学的学校生活却要求他们早早起床，妨碍了他们的这一需求。学校的作息时间表和青少年的昼夜节律存在冲突。一项2008年的研究比较了学生在上学日和假期的睡眠习惯，并发现"在学校作息时间表的影响下，学生们存在严重的睡眠不足，他们的睡眠时间少于他们身体的需求，这影响了他们白天的表现，并导致他们情绪低落"[2]。所以，学生们当然会在周末睡懒觉。

青少年生物钟出现了推迟。让事情变得更糟的是，青少年们却在此时拥有了更多的社交机会。许多青少年都希望能在晚上和朋友们多玩一会儿，而不是在家里发呆。任何养育过青少年的家长，都熟悉这种情况。但只有那些在目前或不久之前子女正处于青春期的家长，才了解科技进步带来的新问题。

由于科技进步给青少年们带来了诸多选择，即便一个青少年在适当的时间进了自己的卧室，也很有可能打算玩视频游戏或社交媒体，直到深夜。我们早已说过，暴露在蓝光下将带来什么样的影响：抑制褪黑素的分泌，让人更难入睡。此外，视频游戏和社交媒体还容易让人上瘾。由于昼夜节律的改变，深夜到来时，青少年也许还一点儿都不困，这时，在视频游戏中拯救世界、消灭坏蛋就变得充满诱惑了，而打游戏让他们更加清醒，肾上腺素持续飙升。难怪早上闹钟响起之后，他们还睡得正香，并且那些高科技设备一直没关。他们根本没有睡醒，所以早上那几堂课，他们完全不在状态。

这就是艾德辛科斯基教授所说的"垃圾睡眠"——睡眠质量和睡眠时间都不达标。这种垃圾睡眠将严重妨碍青少年的发育和学习，影响他们的情绪和注意力，并将对他们的健康（身心两方面）和体重产生长远影响。

2016 年，发表于《青少年健康期刊》上的一项澳大利亚研究得出结论："视频游戏和在线社交媒体是导致睡眠不足和睡眠质量欠佳的风险因素，而和家人共度时光能保障孩子的睡眠时长。"[3]

如果我们可以简单地告诉青少年关掉电子设备、多和家人在一起，那该有多好。尽管一棒子打死所有的青少年有欠公允，因为有许多青少年会听取家长的建议并且明白电子设备将妨碍他们的学习和成长。但是，曾养育过青少年或还记得自己青少年时期的那些家长都知道，孩子常常会对自己苦口婆心的劝说置若罔闻。但不管怎样，家长应该试着想方设法，限制孩子在睡前使用电子设备。比如，你可以和孩子约定，每晚几点之后不能再玩电子游戏，或者将电子设备全部拿出孩子的房间。但是，让一个青少年乖乖交出智能手机，有点儿棘手，所以祝你好运。

在第二天要上课的那些晚上，青少年就是怎么都睡不够，这该归咎于激素引起他们体内的昼夜节律发成变化、社交机会增多、科技的进步，还有学校规定的上学时间，这无异于一场完美风暴。所以，如果干脆让孩子们在上学日的早上晚起床怎么样？

将大学和中学的上课时间推迟到上午 10 点，这样的作息安排优先考虑了学生们的需求，而不是把家长和教师的需求放在首位。别再从上午 9 点开始上课了。10 点开始上课或考试，那么青少年们就无需被迫和他们的生物钟对着干，影响表现。此外，这样也有助于改善睡眠被剥夺的情况。

## - 未来的第一梯队 -

我目前在为不少体育圈内的青少年提供培训，他们都有可能在未来成为奥运选手，特别是成为英格兰青年队的成员和足球俱乐部的年轻选手。我目睹了生物钟变化和电子设备对他们的影响。此外，由于体育运动和生活方式的需求，对于这些 15—17 岁的青少年来说，时间特别宝贵，因此他们可以试着采用 R90 方案改善睡眠，尽管他们需要 6 个睡眠周期，而非 5 个。

一个未来的泳坛名将也得和其他青少年一样，在上午 9 点到校上学。但是，他得在上学前或上学后，去泳池参加训练。每天拥有充足的睡眠时间，是他身心发展、体能修复所必需的，而这样的安排，将对他的睡眠时间产生多大的影响？把上学时间改到上午 10 点，将给他留下更多余地。拨快全英国的所有时钟、全年实行夏令时，能让他在冬季放学后，拥有天色更亮的夜晚。这不仅能让运动员受益。总的来说，天黑得晚一些，年轻人就会参加更多的休闲活动。

在足球俱乐部开设的足球学校中，我遇到过来自社会各个阶层的孩子。有些孩子的父母并不督促他们的睡眠。如果他们想要在这一行中拥有光明的未来，就比第一梯队的孩子们更加需要睡眠。他们常常熬到很晚才睡觉，忙着打视频游戏，和朋友们玩耍，一晚绝对睡不到 6 个周期。如果不解决这个问题，将产生严重的后果。如果积极运用 R90 方案，他们就能调整睡眠方式，让现代科技为己所用，并且找到符合实际、灵活多样的睡眠修复方式。让他们了解并相信这些知识，是我的事，但是否愿意约束自我，则是他们自己的事。归根结底，唯有他们自己才能利用各种工具，掌控自己的睡眠。

人们常常埋怨，顶级的足球手生活在虚幻的泡沫、象牙塔中。

可是他们真的有别的选择吗？自从手机有了摄像头之后，人人都有可能是狗仔队。如果足球手想要去度个假，或者晚上有活动的话，就得随时提防着狗仔队。他们神经兮兮地过着与世隔绝的生活，因为别无他法——作为公众人物，万一出了什么差错，将是无法承担的。我曾目睹，对于那些努力想要适应这种生活的年轻运动员，这将带来多大的损害。有些球员根本无法适应。你也许在想，可是他们钱挣得多，应该学会容忍这些。但是金钱不能让人免于抑郁症和焦虑症的侵扰。

普通青少年们同样也生活在电子产品所营造的虚幻泡沫之中，他们的大部分社交都是坐在家中通过手机实现的。我知道，他们完全不知道所住的街道上开着哪些店，因为根本不需要了解这些——只需要一个电话，所需要的一切就会送到他们眼前，包括各种知识。一些孩子甚至开始怀疑，学校和老师对我们有什么用？

科技的进步给社会带来了日新月异的变化，并给我们带来了无穷便利。但我们必须谨慎对待科技，特别是年轻人。一项加拿大的微软用户洞察研究报告宣称，人的平均注意力持续时间，已从 2000 年的 12 秒钟，下降到了 2013 年的 8 秒。在参加问卷调查的 18—24 岁的加拿大人中，有 77% 的调查对象说，当没有其他事情占据注意力时，他们就会习惯性地伸手去拿手机，而 73% 的调查对象则承认，晚上睡觉前他们做的最后一件事，就是看手机。

终生使用这样的电子设备，将对人体产生什么样的长远影响？至今还没有看到任何临床数据，因为我们使用这些电子设备的时间还没有这么久。正在成长的一代将是这些设备的第一代终生使用者，而我们已经能够看到，这些设备对他们的睡眠所产生的影响。作为家长，我们必须尽量限制孩子使用这些产品——我们自己也该努力做到这一点。

现在有一些学校正在和我联系，邀请我去给学生们做讲座，因为校方也看到了问题。他们希望能做点什么。

在南安普顿足球俱乐部，我促成了一次自上而下的变革。从经理、员工到年轻队员，所有人都参与了这个项目。俱乐部的医生史蒂夫·贝恩斯——他曾经是天空车队的医生，发起了这个项目。这个项目至今仍在进行，尽管俱乐部的经理已经换了人。南安普顿拥有辉煌的历史，战果累累：俱乐部的青训体系培养出了不少少年英才，后来都去了第一梯队打球。他们往往会去国家队，有时也会去国外一些最大牌的俱乐部。皇家马德里队和威尔士队的格瑞斯·贝尔就是南安普顿青训营培养出来的精英。英格兰足球队的卢克·肖、亚当·拉拉纳和阿历克斯·奥拉德-张伯伦同样也是。

南安普顿是一家非常重视年轻人前途的俱乐部。如果我们想培养出未来的工程师、运动员、科学家、作家和其他人才，就该重视年轻人的睡眠和休息。

# 你个人的最佳状态

里斯本，本菲卡足球场，2004年欧洲杯锦标赛。我和我的儿子詹姆斯，还有我的妻子站在熙熙攘攘的人群中，目不转睛地看着英格兰队对战法国队。对我来说，这真是一个精彩的瞬间。英格兰队表现不错，以1：0领先，现场气氛白热化，家人就在我的身边，而我对这场比赛付出了不少心血——我为这支球队提供咨询，所有队员都在使用我推荐的寝具睡觉。就像媒体曾经报道的那样，每晚我都会负责把三狮军团[1]哄上床睡觉。

自豪感来自哪儿？比赛结束时，法国队队长、明星队员齐内丁·亚兹德·齐达内已在后半段连进两球，赢得了比赛，扫了众人的兴致。英国人还是老样子。可是等一下……

自从我向亚历克斯·弗格森爵士——并通过他向整个体育界

---

1　英格兰男子足球国家队的昵称，昵称来自于他们的队徽：三头狮子。

辐射——提出那个问题后，才过去了短短几年，但我发现自己目前所处的位置是以前从没想象过的。提出这个问题改变了我的职业生涯，当然也改变了我的人生。而且，我还能帮助别人改变他们的人生，对此我感到很荣幸。

在此之后的岁月中，我继续探索睡眠科学，并和体育界各个领域的多名优秀运动员合作，包括橄榄球球员、自行车选手和其他运动员。同时，我也为许多有望成为未来新星的年轻运动员提供咨询。

我现在还在不断探索——不断提出问题并试着找到答案。那些试图通过合法方式提高比赛成绩的运动员和运动队、那些想要改变自己目前生活状态的商界大亨和普通民众，都纷纷与我取得联系，原因就在于此。我能和阿里安娜·赫芬顿——她是《赫芬顿邮报》的创办者，还发起了一场睡眠革命——这样一些人物密切交流，还能受邀在前任纽约市长迈克尔·布隆伯格组织的全球市长峰会上发言，原因也在于此。

因为，现在他们都在问同一个问题，你也该问这个问题：我们该如何对待我们的睡眠？

我们该如何对待这一身心修复过程？我们不该再把睡眠看成理所当然的事了——我们再也无力承担忽视睡眠的后果了，后果也许会非常严重，甚至是致命的——癌症、肥胖症、糖尿病、心脏病，并且有可能让你精疲力竭，患上抑郁症、焦虑症、阿尔茨海默病，沦为你自己的影子。抑郁症能把人——特别是年轻人——逼上绝路，我在英国的各大院校中见过不少这样的例子。

其实根本不必如此。你可以和我曾服务过的那些运动员和运动队——他们赢得了不少奖杯和金牌——一样，采纳 R90 方案，改变自己的睡眠策略。你将发现，你的情绪、积极性、创造能力、记忆力、精力和灵敏度都将大幅提高。你的工作、家庭生活和人际关系也将出现质的飞跃，因为你将一次又一次地展现你的最佳状态。

你可以先从自己开始，但这其实是一项团队活动。你可以推而广之，把 R90 方案介绍给你的家人、子女、同事和朋友。我们可以一起努力，让我们的文化出现一次巨大的转型。我们将重新定义睡眠，让睡眠修复、饮食、锻炼这三驾马车齐头并进，发起攻击，彻底摧毁那些不良的生活方式。

别再只想着夜间的睡眠了，你懂的。身心修复是一个全天候的过程，它应该成为生活中固有的节奏，我们都该学会欣赏它、喜欢它。从今天开始，并不是从今晚上床开始，而应该是从现在就开始。

那么你还在等什么呢？

# 参考文献

引言：不要浪费宝贵的时间睡觉

[1] Buxton,O.M.&S.W.Cain&S.P.O'Connoer&J.H.Potter&J.F.Duffy& W.Wang& C.A.Czeisler& S.A.Shea.Adverse metabolic consequences in humans of prolonged sleep restriction combined with circadian disruption[J].*Science translational Medicine*,2012-4-11.

[2] Xie, L&H.Kang&Q.Xu&M.J.Chen&Y.Liao&M.Thiyagarajan&J. O'Donnell& D.J.Christensen& C.Nicholson& J.J.Iliff& T.Takano&R. Deane&M.Nedergaard.Sleep drives metabolite clearance from the adult brain[J].*Science*,2013-10-18.

## 1. 时钟在嘀嗒——昼夜节律

[1] *Sleep Council Great British Bedtime Report*，2013.

[2] *National Sleep Foundation International Bedroom Poll*，2013.

[3] Rahman, S.A.& E.E.Flynn-Evans& D.Aeschbach& G.C.Brainard& C.A.Czeisler& S.W.Lockly.Diurnal spectral sensitivity of the acute alerting effects or light[J].*Sleep*,2014-2

## 2. 走慢与走快——睡眠类型

[1] http://www.bioinfo.mpg.de/mctq/core_work_life/core/introduction.jsp

[2] Roennerberg, T.&T.Kuehnle&P.P.Pramstaller&J.Ricken&M. Havel&A.Guth&M.Merrow.A marker for the end of adolescence[J]. *Current Biology*,2004-12-29,14,(24).

[3] Pesta, D.H.& S.S.Angadi& M.Burtscher& C.K.Roberts.The effects of caffeine,nicotine,ethanol,and tetrahydrocannabinol on exercise performance[J].*Nutrition and Metabolism*,2013-12.

[4] Ganio, M.S.& J.F.Klau& D.J.Casa& L.E.Armstrong& C.M.Maresh. Effect of caffeine on sport-specific endurance performance:a systematic review[J].*Journal of Strength and Conditioning Research*,2009-1.

## 3. 90 分钟睡眠法——睡眠周期

[1] Walker, M.P.&T.Brakefield&A.Morgan&J.A.Hobson&R.Stickgold. Practice with sleep makes perfect:sleep-dependent motor skill learning[J].*Neuron*,2002-7-3.

[2] Van Cauter, E.&L.Plat.Physiology of growth hormone secretion during sleep[J].*Journal of Pediatrics*,1996-5.

[3] Cai, D.J&S.A.Mednick&E.M.Harrison&J.C.Kanady&S.C.Mednick. REM,not incubation,improves creativity by priming associative networks[J].*Proceedings of the National Academy of Sciences of the United States of America*,2009-6-23.

[4] Endo, T.&C.Roth&H.P.Landolt&E.Werth&D.Aeschbach&P. Achermann&A.A. Borbély.Selective REM sleep deprivation in humans:effects on sleep and sleep EEG[J].*American Journal of*

*Physiology*, 1998(274).

## 4. 热身与舒缓——睡眠前后的例行程序

[1] Great British Survey, 2012.

[2] Walke, M.P.Sleep-dependent memory processing[J].*Harvard Review of Psychology*, 2008-10.

[3] Characteristics of Home Workers[R].Office for National Statistics, 2014.

## 5. 暂停片刻，该休息了！——日间小睡

[1] Warren, J.How to sleep like a hunter-gatherer[J].*Discover*, 2007-12.

[2] Lahl, O.&C.Wispel&B.Willigens& R.Pietrowsky.An ultra short episode of sleep is sufficient to promote declarative memory performance[J].*Journal of Sleep Research*, 2008-3.

[3] Rosekind, M.R.& R.M.Smith& D.L.Miller& E.L.Co& K.B.Gregory& L.L.Webbon& P.H.Gander& J.V.Lebacqz.Alertness management: strategic naps in operational settings[J]. *Journal of Sleep Research*, 1995-12.

[4] http://swampland.time.com/2011/04/26/memo-to-the-boss-naps-increase-performance/

[5] Brooks, A.&L.Lack.A brief afternoon nap following nocturnal sleep restriction: which nap duration is most recuperative?[J]. *Sleep*, 2006-6.

[6] Anders Ericsson, K.&N.Charness&P.J.Feltovich&R. R.Hoffman, The Cambridge Handbook of Expertise and Expert Performance[M]. Cambridge University Press, 2006.

[7] Sleep-related Crashes on Sections of Different Road Types in the UK(1995-2001)[R].Department for Transport, 2004.

[8] Advanced Driver Fatigue Research [R].Federal Motor Carrier Safety Administration (FMCSA)of the US Department of Transportation(USDOT),2007.

[9] Ericsson&et al.Cambridge Handbook of Expertise and Expert Performance.

## 7. 修复室——睡眠环境

[1] Thompson,A.&H.Jones&W.Gregson&G.Atkinson.Effects of dawn simulation on markers of sleep inertia and pose-waking performance in humans[J].*European Journal of Applied Physiology*,2014-5. Gabel,V.&M.Maire& C.F.Reichert& S.L.Chellappa& C.Schmidt& V.Hommes& A.U.Viola& C.Cajochen.Effects of artificial dawn and morning blue light on daytime cognitive performance,well-being,cortisol and melatonin levels[J].*Chronobiology International*,2013-10.

[2]Ofcom Communications Market Report[R].2011.

## 8. 把握先机——利用 R90 修复方案

[1] Eckel, R.H.& J.M.Jakicic& J.D.Ard& J.M.de Jesus&N.Houston Miller& V.S.Hubbard& I.M.Lee& A.H.Lichtenstein& C.M.Loria& B.E.Millen& C.A.Nornas& F.M.Sacks& S.C.Smith Jr& L.P.Svetkey& T.A.Wadden& S.Z.Yanovski.2013 AHA/ACC guideline on lifestyle management to reduce cardiovascular risk:a report of the American College of Cardiology/American Heart Association Task Force on Practice Guidelines[J].*Journal of the American College of Cardiology*,2014-7-1.

[2] Cappuccio, F.P.&D.Cooper&L.D'Elia&P.Stazzullo&M.A.Miller.

Sleep duration predicts cardiovascular outcomes:a systematic review and meta-analysis of prospective studies[J].*European Heart Journal*,2011-2-7.

[3] Howatson,G.& P.G.Bell&J.Tallent&B.Middleton&M.P.McHugh&J.Ellis.Effect of tart cherry juice(Prunus cerasus)on melatonin levels and enhanced sleep quality[J].*European Journal of Nutrition*,2012-12.

[4] Loprinzi,P.D.& B.J.Cardinal.Association between objectively measured physical activity and sleep[J].*Mental Health and Physical Activity*,2011-12.

## 9. 与敌同眠——各种睡眠问题

[1] Idzikowski,I.Sound Sleep:The Expert Guide to Sleeping Well[M].Watkins Publishing,2013.

[2] Global Market Study on Sleep Aids[R].Persistence Market Research,2015-7.

[3] Gunja,N.In the Zzz zone:the effects of Z-drugs on human performance and driving[J].*Journal of Medical Toxicology*,2013-6.

[4] Kripke,D.F.&R.D.Langer& L.E.Kline.Hypnotics association with mortality or cancer:a matched cohort study[J].*British Medical Journal Open*,2012-2.

[5] Huedo-Medina,T.B.&I.Kirsch&J.Middlemass&M.Klonizakis&A.N.Siriwardena.Effectiveness of non-benzodiazepine hypnotics in treatment of adult insomnia:meta-analysis of data submitted to the Food and Drug Administration[J].*British Medical Journal*,2012-12.

[6] Connelly,D.Sales of over-the-counter medicines in 2015 by clinical area and top 50 selling brands[J].*Pharmaceutical Journal*,2016-3-24.

[7] McHill,A.W.&E.L.Melanson&J.Higgins&E.Connick&T.M.Moehlman&E.R.Stothard&K.P.Wright Jr.Impact of circadian misalignment on energy metabolism during simulated nightshift work[J].*Proceedings of the National Academy of Sciences of the United States of Amerca*,2014-12-2.

[8] Gu,F.&J.Han&F.Laden&A.Pan&N.E.Caporaso&M.J.Stampfer&I.Kawachi&K.M.Rexrode&W.C.Willett&S.E.Hankinson&F.E.Speizer&E.S.Schernhammer.Total and cause-specific mortality of US nurses working rotating night shifts[J].American Journal of Preventative Medicine,2015-3.

[9] Omalu,B.I.& S.T.DeKosky& R.L.Minster& M.I.Kamboth& R.L.Hamiton& C.H.Wecht.Chronic traumatic encephalopathy in a National Football League player[J].*Neurosurgery*,2005-7.

## 10. 主队——性、伴侣和现代家庭

[1] Sleep Council Great British Bedtime Report[R].2013.

[2] Warner,S.&G.Murray&D.Meyer.Holiday and school-term sleep patterns of Australian adolescents[J].Journal of Adolescence,2008-10,31(5).

[3] Harbard,E.& N.B.Allen&J.Trinder&B.Bei.What's Keeping Teenagers Up?Prebedtime Behaviors and Actigraphy-Assessed Sleep Over School and Vacation[J].Journal of Adolescent Health,2016-4,58(4).

# 致　谢

　　决定成家时，我觉得该放弃成为一个职业高尔夫球员的努力了，所以选择了家具这一行。当时我可从没想过，有朝一日，这样一家国际出版业巨头会邀请我写一本关于睡眠的书。

　　所以，首先我想对企鹅出版集团的所有相关员工表示衷心的感谢。我特别想感谢乔尔·罗凯特，谢谢他支持我的 R90 方案，并同意我的观点：我们需要以全新的方式来看待睡眠。同时，我也特别感谢茱莉亚·穆尔代，感谢她对这本书如此热忱，感谢她整合编辑了一本比想象中更有意思的睡眠书。

　　此外，我也特别感谢我的捉刀人史蒂夫·伯德特，他融汇了我的全部经历和热情，并将它压缩成了一个关于睡眠的独特故事。我希望这本小书能够抛砖引玉，最重要的是，能让本书读者发现更棒的舒眠良策。

　　我也要感谢帕特里克·麦基翁，他花费了不少宝贵的时间，为我介绍人体的呼吸情况。还有罗布·戴维斯——新一代助呼吸产品的开发者。

我必须提到以下这些同行的名字：彼得·巴克利、摩根·麦卡锡、帕特里克·纽斯特德、已故的罗杰·黑德、帕姆·约翰逊、马克·贝德福德、杰夫·艾迪斯和艾伦·汉考克。约翰·汉考克和杰西卡·亚历山大创立了英国史上第一个睡眠协会，功不可没；我正是在那里认识了我入这一行的导师——克里斯·艾德辛科斯基教授。

亚历克斯·弗格森爵士（他在20世纪90年代后期的远见），还有戴夫·费弗尔、林恩·拉芬、英国足球协会的安迪·欧德诺、加里·勒温、罗布·施怀尔、还有我的好朋友尼克·布罗德，感谢他们。他们帮我走上了这一行，给我的新事业带来了不少帮助。

我人生中最美好的一段时光，是在曼彻斯特的中心城区从事睡眠产品零售时。这段经历让我体验到了真实都市生活带来的挑战，为我形成并完善R90方案提供了不少思路。所以，在此我想感谢克里斯·劳埃德、霍华德和朱迪思·沙洛克夫妇、戴夫·辛普森、安娜·里瑟兰、史蒂夫·西尔维斯通、布莱恩·麦考尔、理查德·洛基特、已故的约翰·斯潘塞、弗利克·埃弗里特、安迪·尼克尔、西蒙·巴克利、克莱尔·特纳、凯特·德鲁伊特、罗伯托·锡米、佐伊·沃恩·戴维斯、科比·兰福德、达里·弗雷德曼、詹森·奈特和约翰·奎尔特，等等。

就在那段时间，曼联来了一位新的通信主管。他住在北区，和我的第一家店铺在同一条街道上。我们至今都是好朋友。谢谢你的支持——菲利普·汤森和约翰兄弟。

我在曼彻斯特的几个经典片段，帮助奠定了今天的事业。第一次是在 2009—2010 年间，我加入了英国自行车队，见证了天空车队的诞生，他们的成功是有目共睹的，特别是在 2016 年夏天的里约奥运会中。所以，我要特别感谢戴夫·布雷斯福德、马特·帕克、菲利普·伯特和史蒂夫·贝恩斯；第二次是在曼城队的一流训练基地为队员们提供咨询。所以，衷心感谢萨姆·埃利斯的大力支持。

如果没有 R90 产品供应合作伙伴在幕后的支持，我的许多项目都无法顺利完成。所以，感谢 Icon Designs、Trendsetter、Action&Acton 和 Breasley 公司。

感谢 Shift Global Performance 公司的迈克尔·托雷斯，他是我在美国的 R90 合作伙伴，感谢他和他的团队的全力支持。

当然，非常感谢我的家人，感谢他们听我无休无止地念叨睡眠问题。我的父亲是汽油喷射技术的发明人。此外，由于从事国际赛车这一行，他的足迹遍布全球。因此，如果我成为一名赛车手，也许能给他们带来更加有趣的话题。但是，随着孙辈的诞生，我的家庭的扩容，我希望他们能把我念叨的这些，多少听进去一点儿。